BASTEI
LÜBBE

Edmond Hamilton

Die Waffe der Vhollaner

Science Fiction Roman

Ins Deutsche übertragen
von Tim Nawrath

BASTEI-LÜBBE-TASCHENBUCH
Band 23 165

Erste Auflage:
Juni 1995

Deutsche Lizenzausgabe 1995
Bastei-Verlag Gustav H. Lübbe
GmbH & Co., Bergisch Gladbach
Originaltitel: The Weapon
From Beyond
Lektorat: Michael Schönenbröcher/
Stefan Bauer
Titelbild: Paul R. Alexander
Umschlaggestaltung:
Quadro Grafik, Bensberg
Satz: KCS GmbH,
Buchholz/Hamburg
Druck und Verarbeitung:
Brodard & Taupin,
La Flèche, Frankreich
Printed in France

ISBN 3-404-23165-1

Der Preis dieses Bandes
versteht sich einschließlich der
gesetzlichen Mehrwertsteuer.

1

Die Sterne beobachteten ihn. Und es schien ihm, als flüsterten sie ihm etwas zu.

Stirb, Sternenwolf. Deine Zeit ist um.

Er lag quer über dem Pilotensessel, dunkle Schleier umwölkten seinen Geist, und die Wunde in seiner Seite pochte und brannte. Er war nicht ohnmächtig; er wußte, daß sein kleines Schiff aus dem Overdrive gefallen war und daß er bestimmte Dinge erledigen mußte. Aber es hatte keinen Sinn, nicht den geringsten.

Vergiß es, Sternenwolf. Stirb.

In einem Winkel seines Bewußtseins war sich Morgan Chane darüber klar, daß es nicht die Sterne waren, die zu ihm sprachen. Ein Teil seines Ichs, der immer noch überleben wollte, trieb ihn an, drängte ihn dazu, wieder auf die Füße zu kommen. Doch es war bequemer, das Drängen zu ignorieren und einfach nur so dazuliegen.

Bequemer, genau das. Und wie glücklich sein Tod die guten Freunde und lieben Kameraden machen würde. Chanes benebelter Geist klammerte sich an diesen Gedanken. Ein dumpfer Ärger stieg in ihm auf, und er faßte einen Entschluß: Nein, er würde sie nicht glücklich machen. Er würde leben, und eines Tages würde er diejenigen, die ihn jetzt jagten, ziemlich unglücklich machen. Genau.

Die wilde Entschlossenheit schien die Dunkelheit um seinen Geist ein wenig zu lichten. Er öffnete die Augen und richtete seinen Körper — langsam und unter Schmerzen — im Pilotensessel auf. Jede Bewegung machte den Schmerz in seiner Wunde beinahe unerträglich, und einige Minuten kämpfte er gegen die aufkommende Übelkeit. Dann schob er seine zittrige Hand auf einen Schalter zu. Zuerst mußte er herausfinden, wo er war. Wohin ihn der zuletzt während der Flucht in verzweifelter Hast eingegebene Kurs gebracht hatte.

Ziffern leuchteten wie kleine rote Augen auf dem Schaltpult auf, als der Computer lautlos seine Frage beantwortete. Er las die Angaben, aber sein Verstand war noch nicht wieder in der Lage, sie zu verarbeiten. Er schüttelte seinen Kopf wie ein Betrunkener und starrte auf den Bildschirm.

Das Firmament vor ihm glänzte wie ein Teppich aus ungezählten Sternen. Hoch aufgetürmte Sonnen, rauchig rote und rein weiße, blaßgrüne und goldene und pfauenblaue, strahlten ihm entgegen. Breite Schluchten aus Dunkelheit durchzogen die Sternenmassen, Flüsse kosmischen Staubes, aus denen die blassen Geisterlichter untergegangener Sonnen schimmerten. Er befand sich in unmittelbarer Nähe eines Sternenhaufens, und Chanes getrübtes Gehirn erinnerte sich jetzt auch wieder an den letzten Moment des Kampfes, als er das gestohlene Schiff in den Hyperraum gebracht hatte: Kurz bevor er das Bewußtsein verlor, hatte er noch die Koordinaten des Corvus Sternenhaufens eingehämmert.

Die Schwärze. Das Nichts. Die unendliche andächtige Lautlosigkeit der Leere. Und die gewaltigen Strahlenbündel der Sonnen des Sternenhaufens ergossen sich über die winzige Nadel, die sein Schiff war. Sein Gedächtnis kam langsam wieder auf Touren, und er wußte jetzt, warum er hier war. Er wußte von einer Welt inmitten dieses gigantischen Bienenstocks der Sterne. Dort konnte er sich ausruhen und verbergen. Er brauchte dringend solch ein Versteck, schließlich hatte er kein Medilight, und es würde einige Zeit dauern, bis seine Wunde auf natürliche Weise heilte. Auf jener Welt würde er sicher sein — wenn er sie erreichen konnte.

Noch immer etwas unsicher, gab Chane einen Kurs ein, und das kleine Schiff raste mit der höchsten Geschwindigkeit, die der normale Antrieb hergab, auf einen der Randbezirke des Sternenhaufens zu.

Erneut begann die Dunkelheit nach seinem Geist zu greifen.

Nein, ich muß wachbleiben, dachte er, *morgen überfallen wir die Hyaden.*

Irgend etwas stimmte hier nicht. Die Hyaden hatten sie schon vor Monaten heimgesucht. Was war nur mit seinem Gedächtnis los? Alles erschien durcheinandergewürfelt, ohne Sinn oder logische Reihenfolge.

Der Aufbruch von Varna mit ihrem flinken kleinen Geschwader, der Flug durch die Sagittarius-Passage, quer durch den Eulennebel, im Sturzflug hinunter auf den kleinen fetten Planeten mit seinen kleinen fetten Bewohnern, die in Panik kreischend davonstoben, als er und seine Kameraden in ihre reichen Städte einfielen ...

Aber all das war schon lange her. Das Ziel ihres letzten Beutezuges, der, auf dem er verwundet wurde, war Shandor Fünf gewesen. Er erinnerte sich, wie sie unterwegs von einer Staffel der Schweren entdeckt und gejagt worden waren und wie ihnen die Flucht gelang, indem sie mit voller Normalbeschleunigung einen regelrechten Slalom durch ein Sternensystem absolvierten. Er konnte Ssander lachen hören und sagen: »Sie riskieren nicht soviel wie wir, darum werden sie uns auch niemals erwischen.«

Aber Ssander ist tot, ich habe ihn getötet. Und darum fliege ich jetzt um mein Leben!

Blitzschnell zogen die Bilder vor seinem inneren Auge vorbei: der Streit über die Beute auf Shandor Fünf, wie Ssander in blinder Wut versucht hatte, ihn zu töten, und wie statt dessen er Ssander getötet hatte. Und wie er, verwundet, vor der Rache der anderen geflohen war ...

Die Nebel um seinen Verstand hatten sich aufgelöst. Er war hier, in seinem winzigen Schiff, und raste, immer noch auf der Flucht, auf den Sternenhaufen zu. Er starrte ihn an, Schweiß auf dem dunklen Gesicht mit den wilden schwarzen Augen.

Es wurde Zeit, dachte er, daß die Blackouts aufhörten, anderenfalls würde er wohl nicht mehr lange am Leben bleiben. Die Jäger waren hinter ihm her, und es gab niemanden in der Galaxis, der einem verwundeten Sternenwolf helfen würde. Chane hatte vorgehabt, in den Sternenhaufen einzudringen, wo dieser durch einen der dunklen Staub-Flüsse geteilt wurde, und er passierte bereits die vorgeschobenen Sonnenposten. Wenig später konnte er das Klicken und Flüstern des Staubes auf der Schiffshülle hören. Er mied die dichteren Regionen des Staub-Stromes. Die Partikel hier waren kaum größer als Atome; die Begegnung mit größeren Teilchen würde bei dieser Geschwindigkeit das Schiff durchlöchern.

Chane stieg in seinen Raumanzug und setzte den Helm auf. Dieses Unterfangen nahm einige Zeit in Anspruch, und es forderte ihm einiges an Beherrschung ab, nicht laut aufzustöhnen. Es schien ihm, als hätte sich die Wunde verschlimmert. Aber jetzt war keine Zeit, sich darum zu kümmern. Das Heilpflaster, mit dem er die Wunde bedeckt hatte, mußte fürs erste genügen.

Weiter schoß das kleine Schiff den großen dunklen, staubigen Strom zwischen den Sternenballungen stromaufwärts. Immer wieder sackte Chanes Kopf auf das Steuerungspult. Aber er hielt Kurs. Der Staub konnte seinen Tod bedeuten — aber auch sein Leben retten, denn die Instrumente seiner Verfolger konnten ihn nur schwer durchdringen.

Der Sichtschirm bot ein verschwommenes, undeutliches Bild. Er sah zwar aus wie ein gewöhnliches Fenster, war jedoch ein kompliziertes System, das mit Suchstrahlen, deutlich schneller als das Licht, arbeitete. Und Suchstrahlen hatten hier geringe Ausbreitungsmöglichkeiten. Das Halbdunkel vor ihm verlangte Chanes ganze Aufmerksamkeit. Was nicht so einfach war, mit der pochenden Wunde in seiner Seite und den dunklen Wolken, die ständig versuchten, seinen Geist einzuhüllen.

Sterne tauchten aus dem Staub, glimmend wie das Licht verdeckter Fackeln. Bedrohliche rote und gelbe Sonnen, an denen das kleine Schiff langsam vorüberzog. Ein Punkt drohender absoluter Schwärze, eine tote Sonne, weit voraus im Zenit, wurde zu seinem düsteren Leuchtturm, dem er sich geradezu unnatürlich langsam näherte . . .

Der dunkle Fluß zwischen den Sternen änderte leicht seinen Lauf, und Chane korrigierte den Kurs. Stunde um Stunde verrann, und er war ein gutes Stück ins Innere des Sternenhaufens vorgedrungen. Aber noch immer lag ein weiter Weg vor ihm . . .

Chane träumte.

Die guten Zeiten, die Zeiten des Aufbruchs, die jetzt so plötzlich zu Ende waren. Das Ausschwärmen der überall gefürchteten kleinen Schiffe von Varna. Das Hervorbrechen aus dem Overdrive, der Sturzflug auf eine Stadt einer vom Schock gelähmten Welt, und der warnende Ruf zwischen den Sonnen: Die Sternenwölfe sind unterwegs!

Und das fröhliche Gelächter, seines und das seiner Kameraden, wenn sie eindrangen und sich lustig machten über die langsamen, schwerfälligen Reaktionen derer, die sich ihnen entgegenstellten: Ras rein, schnapp den Plunder, mach nieder, wen oder was sich dir in den Weg stellt, und dalli, dalli, wieder zu den Schiffen und schließlich zurück nach Varna — samt Beute, Wunden und überschäumenden Triumphgefühlen. Die guten Zeiten . . . sollten sie für ihn wirklich schon zu Ende sein?

Chane dachte darüber nach und schürte damit die Flammen seiner dumpfen Wut. Sie hatten sich gegen ihn gewandt, hatten versucht, ihn zu töten, jagten ihn. Aber egal, was sie sagten, er war einer von ihnen, so stark, so wendig, so gerissen wie jeder einzelne von ihnen. Und die Zeit würde kommen, da er den Beweis dafür antreten würde. Aber jetzt mußte er sich erst einmal zurückziehen, sich verborgen halten, bis seine Wunde verheilte. Und bald würde er die Welt erreichen, wo er genau dies konnte.

Eine erneute Biegung im dunklen Fluß, der kosmische Staub drang tiefer in die Ansammlung der Sterne ein. Wieder und wieder zogen die blassen Geisterlichter vorüber, und das Wispern des kosmischen Staubes auf der Schiffshülle wurde lauter. Weit voraus beobachtete ein glasig blickendes verschwommenes Auge in blutigem Orange die Annäherung seines Schiffes. Und jetzt konnte Chane auch den Planeten ausmachen, der sich einsam um den verlassen sterbenden Stern bewegte. Das, das wußte er, war der Planet, auf dem er Ruhe finden würde.

Er hatte es fast geschafft.

2

Seine Glückssträhne näherte sich ihrem Ende, als auf dem Suchschirm das Blip eines Schiffes auftauchte, das sich im normalen Raum näherte. Es war außerhalb der Staubzone und folgte dem Ufer des Stromes zwischen den Sternen. Mit Sicherheit würde es nahe genug kommen, um ihn mit seinen Suchstrahlen zu entdecken, auch inmitten des Sternenstaubes.

Er hatte keine Chance. War es ein Schiff der Verfolger von Varna, würden sie ihn zerstören. Kam es von irgendwo anders her, würden seine Insassen zu Feinden, sobald sie erkannten, daß sie es mit einem Schiff der Sternenwölfe zu tun hatten. Und dazu würde der erste Blick genügen, denn keine Welt, wo auch immer in der Galaxis, besaß Schiffe, die den verhaßten Schiffen von Varna auch nur ähnlich sahen.

Er brauchte ein besseres Versteck. Und es bot sich nur eine Möglichkeit: die dichteren Regionen des Staubstromes. Er lenkte sein kleines Schiff tiefer in den kosmischen Treibsand hinein.

Das Wispern und Klicken auf der Hülle wurde lauter. Die größeren Elemente im Strom störten die Suchstrahlen, und das fremde Schiff außerhalb des Sternenstaubes verschwand vom Schirm. Genauso würde sein Schiff von ihrem Schirm verschwunden sein. Chane stellte den Antrieb ab und wartete regungslos. Er konnte jetzt nichts tun, nur warten.

Er mußte nicht lange warten.

Als es geschah, war es nicht mehr als ein schwaches Zittern, das er kaum bemerkt hätte, wären nicht alle Instrumente abgeschaltet gewesen.

Chane drehte sich um. Ein Blick genügte. Ein Stückchen Sternenstaub, nicht größer als eine Murmel, hatte die Hülle durchstoßen und Antrieb und Converter zerstört. Er befand sich in einem toten Schiff und konnte nichts tun, um es wieder zum Leben zu erwecken. Er konnte nicht einmal ein Notsignal aussenden.

Er starrte auf den erblindeten Sichtschirm, und obwohl er die

Abbilder der Sterne nicht mehr sehen konnte, meinte er, deren höhnisches Flüstern jetzt wieder hören zu können.

Gib's auf, Sternenwolf...

Chane sank in sich zusammen. Vielleicht war es ganz gut so. Welche Zukunft hätte er noch in einer Galaxis, in der er nur Feinde besaß?

Zusammengesunken, in einer Art dumpfer Benommenheit, empfand er es als seltsam, daß er auf diese Art abtreten sollte. Er hatte immer erwartet, der Tod würde ihn sekundenschnell im Gefecht ereilen, während eines Beutezuges zwischen den Sternen. Das war das Ende, auf das die meisten Sternenwölfe zusteuerten, wenn sie Varna zu häufig verließen. Niemals hatte er damit gerechnet, daß er auf diese dahinschleichende, langsam seinen Verstand umnachtende Weise sterben würde, nur dasitzend und wartend. In einem toten Schiff darauf wartend, daß ihm der Sauerstoff ausging.

Langsam begann sein ermüdeter Verstand aufzubegehren. Es mußte ein besseres Ende für ihn geben als das hier. Er mußte einen letzten Versuch unternehmen, egal wie aussichtslos der auch sein mochte.

Er dachte darüber nach. Die einzige Rettungsmöglichkeit bot das Schiff außerhalb des Staubstromes. Er konnte es auf sich aufmerksam machen, und sie würden ihm zu Hilfe kommen. Und dann, dann gab es zwei Möglichkeiten: Entweder es waren die ihn jagenden Varnier — die würden ihn gleich töten —, oder es waren Bewohner irgendeines anderen Planeten — die würden zu tödlichen Feinden werden, sobald sie sein Sternenwolfschiff als ebensolches erkannten.

Was aber, wenn sie dieses Schiff gar nicht zu Gesicht bekämen? Dann würden sie ihn als Erdenmensch einstufen, was er rein abstammungsmäßig ja auch war, auch wenn er die Erde noch niemals gesehen hatte.

Chane sah sich um. Antriebseinheit und Converter waren zerstört, tot. Aber die Energiekammer, die den Converter mit Strom versorgte, war noch intakt. Chane hatte da eine Idee...

Es war ein Glücksspiel, und er haßte es, sein Leben zum Einsatz zu machen. Immerhin war es besser, als einfach hier herumzusitzen und auf den Tod zu warten. Aber er wußte, daß er seinen Einsatz schnell machen mußte, oder er würde das Spiel nicht mehr erleben.

Er begann, langsam und schwerfällig einige Geräte auf dem Steuerungspult auseinanderzunehmen. Eine komplizierte Aufgabe, besonders, da seine Hände in den Handschuhen des Raumanzuges steckten. Und noch schwieriger war es, einige der ausgebauten Teile zu dem Gerät zusammenzusetzen, das er brauchte. Schließlich hatte er eine kleine Zeitschaltuhr, von der er hoffte, daß sie funktionieren würde.

Chane kehrte zur Energiekammer zurück und begann, die Schalteinheit damit zu verbinden. Er mußt schnell arbeiten, und seine Aufgabe bedeutete auch, sich zu bücken und auf die Knie zu gehen — und das auf eng bemessenem Raum. Die Wunde in seiner Seite schmerzte, als machten die Geier sich bereits daran zu schaffen. Tränen des Schmerzes trübten seine Sicht.

Wein ruhig, sagte er zu sich selbst, *oh, wenn sie wüßten, daß du weinend gestorben bist!*

Die Tränen verrannen, und er trieb seine kraftlosen Finger an, weiterzumachen, den Schmerz zu ignorieren.

Nachdem er es endlich geschafft hatte, brach er die Schleuse auf und nahm die vier Handdüsen aus dem Regal, in dem die Raumanzüge aufbewahrt wurden. Dann kehrte er zurück zur Energiekammer und aktivierte seine selbstgebastelte Zeitschaltuhr.

Anschließend verließ Chane das Schiff, als wäre der Teufel persönlich hinter ihm her. Zwei Handdüsen in jeder Hand brachten ihn fort — hinein in die Sternensee.

Schlingernd bewegte er sich fort von dem kleinen Schiff, während die Sterne einen verrückten Tanz um ihn herum aufführten. Er war ins Trudeln gekommen, aber jetzt war keine Zeit, das zu korrigieren. Nur eins war wichtig: so schnell und so weit weg wie möglich zu kommen, bevor sein Schaltkästchen die Energiekammer kurzschloß und das Schiff explodierte. Chane zählte im Geiste die Sekunden, während sich seine glitzernd-strahlenden Gastgeber weiter um ihn herumdrehten.

Die Sterne verblaßten für einen Moment, als eine grellweiße Nova in seinen Augen zu explodieren schien. Sie erlosch, und er fand sich in absoluter Dunkelheit wieder. Aber er war am Leben. Er war weit genug entfernt gewesen, als die Energiekammer hochging und das Schiff zerstörte.

Er schaltete die Handdüsen ab und ließ sich treiben. Die Besatzung des Schiffes draußen vor dem Staubstrom mußte die Explosion bemerkt haben. Vielleicht kamen sie ja in den Strom, um der Sache nachzugehen, vielleicht auch nicht. Und wenn sie kamen, waren es vielleicht die Varnier, die ihm nach dem Leben trachteten, vielleicht auch nicht.

Einsam schwebte er durch die Unendlichkeit, Sterne über ihm, unter ihm und überall um ihn herum.

Er fragte sich, ob jemals jemand so allein gewesen war. Seine Eltern waren seit Jahren tot, gestorben an der hohen Schwerkraft auf Varna. Seine Freunde auf Varna waren nicht länger seine Freunde, sondern Jäger, begierig, ihn zu töten. Er hatte sich immer als Varnier gefühlt, jetzt wurde ihm klar, daß er sich getäuscht hatte.

Keine Familie, keine Freunde, kein Heimatland, kein Heimatplanet ... nicht einmal ein Schiff. Nur ein Raumanzug mit Sauerstoff für ein paar Stunden und ein feindliches Universum um ihm herum.

Aber er war immer noch ein Sternenwolf, und wenn er schon sterben mußte, dann wie einer von ihnen ...

Das große glitzernde Bühnenbild des Sternenhaufens drehte sich langsam um ihn. Das Kreisen anzuhalten würde die Handdüsen Energie kosten, die er später möglicherweise noch dringend brauchte. Außerdem konnte er auf diese Weise alle Sternregionen um sich herum im Auge behalten, während er sich drehte.

Aber nichts bewegte sich darin, rein gar nichts.

Die Zeit verstrich. Die herrschaftlichen Sonnen waren schon eine geraume Weile hier, und sie hatten es nicht eilig, einen Menschen sterben zu sehen. Als er glaubte, sich etwa zehn Millionen Mal um seine eigene Achse gedreht zu haben, fiel ihm etwas auf. Ein Stern zwinkerte.

Er sah noch einmal hin, aber der Stern strahlte unbewegt und gleichmäßig. Trogen ihn seine Augen? Chane konnte es sich gut vorstellen, aber er würde alles auf diese Karte setzen. Mit Hilfe der Handdüsen machte er sich auf den Weg in Richtung des zwinkernden Sterns.

Wenige Minuten später wußte er, daß ihn seine Augen nicht getäuscht hatten. Ein anderer Stern zwinkerte kurz, als er durch irgend etwas verdeckt wurde. Er strengte seine Augen an, doch konnte er kaum etwas erkennen, denn die dunklen Wolken schoben sich erneut über seinen Geist. Die Wunde in seiner Seite war durch die Anstrengungen wieder aufgebrochen, und er fühlte, wie sein Leben durch sie herausfloß.

Als sein Blick sich klärte, sah er einen schwarzen Fleck vor den Sternenfeldern auf sich zukommen, einen Fleck, der wuchs, bis er zur Silhouette eines Schiffes wurde. Es war kein varnisches; die Schiffe von Varna waren klein und hatten die Form einer Nadel. Dieses Schiff besaß die Silhouette eines Sechzehners oder Zwanzigers und die eigenwillige Augenbrauen-Brücke, die charakteristisch für die Schiffe der alten Erde war. Es bewegte sich kaum merklich — aber in seine Richtung.

Chane versuchte sich eine Geschichte zurechtzulegen, die er ihnen auftischen würde, damit sie nicht auf die Wahrheit über ihn kämen. Wieder drohte die Dunkelheit ihn zu überrollen, aber er kämpfte dagegen an und schaltete seine Handdüsen kurz ein und aus, als Signal.

Er sollte nie erfahren, wieviel Zeit vergangen war, als das Schiff neben ihm lag und sich die Schleuse öffnete wie ein schwarzer Schlund.

Noch ein letztes Mal mobilisierte er seine Kräfte und schob sich schwerfällig in die Schleuse. Dann gab er sich geschlagen, und die Schwärze legte sich über seinen Verstand . . .

Als er erwachte, fühlte er sich überraschend gut. Was daran lag, wie er kurz darauf entdeckte, daß er in einer Schiffskoje lag und ein Medilight seine Seite bestrahlte. Die Wunde sah bereits trocken und halbwegs geheilt aus.

Chane sah sich um. Die Kabine war klein. Eine Glühbirne glimmte an der Metall-Decke, und er konnte das Dröhnen und die Vibrationen eines Schiffes, das sich mit normalem Antrieb fortbewegte, spüren. Dann sah er den Mann, der auf der Kante der gegenüberliegenden Koje saß und ihn beobachtete.

Der Mann stand auf und kam zu ihm herüber. Er war älter als Chane, ein gutes Stück älter, und er sah irgendwie unfertig aus. Seine Hände, sein Gesicht, seine Figur, alles wirkte so, als sei es von einem untalentierten Steinmetz grob aus einem Felsbrocken gehauen worden. Sein kurzgeschnittenes Haar war leicht angegraut, und aus seinem länglichen, pferdeähnlichen Gesicht blickten Augen unbestimmbarer Farbe. »Da hast du noch mal verdammtes Glück gehabt«, sagte er.

»Hab' ich«, antwortete Chane.

»Kannst du mir vielleicht erzählen, warum zum Teufel sich ein verwundeter Erdling im Corvus-Sternenhaufen herumtreibt?« erkundigte sich der andere und fügte nach kurzem Nachdenken hinzu: »Ich bin John Dilullo.«

Chanes Augen streiften die Betäubungspistole, die der Erdenmensch im Gürtel seines Overalls trug. »Ihr seid Söldner, nicht wahr?«

Dilullo nickte. »Sind wir. Aber du hast meine Frage nicht beantwortet.«

Chanes Gedanken überschlugen sich. Er würde vorsichtig sein müssen. Die Söldner waren in der ganzen Galaxis als harter Haufen bekannt. Ziemlich viele von ihnen kamen von der Erde, und das nicht ohne Grund.

Vor langer Zeit hatte die Erde den Interstellar-Antrieb entwickelt und damit das Tor zu den Sternen geöffnet. Trotzdem war die Erde heute ein armer Planet. Arm, weil die restlichen Planeten des Sonnensystems unbewohnbar waren, mit unwirtlichen, lebensfeindlichen Umweltbedingungen und nur einigen wenigen kargen Mineralien. Verglichen mit den großen Sternensystemen und ihren vielen reichen, bewohnten Welten, war die Erde ein notleidender Planet.

Folglich waren Menschen der Hauptexportartikel der Erde. Gut ausgebildete Raumfahrer, Techniker und Kämpfer strömten von der alten Erde in viele Teile der Galaxis. Und die Söldner von der Erde gehörten zu den härtesten ihrer Zunft.

»Mein Name ist Morgan Chane«, sagte er, »Meteor-Prospektor; ich arbeite von Alto Zwei aus. Ich bin zu tief in den verdammten Staubstrom eingedrungen, und dabei hat es mein Schiff erwischt. Ein Stück Sternenstaub traf mich in die Seite, ein anderes zertrümmerte den Antrieb. Die Energiekammer konnte jeden Augenblick hochgehen, und ich habe es gerade noch geschafft, in den Anzug zu kommen und rechtzeitig das Weite zu suchen.«

Und er fügte hinzu: »Ich brauche wohl nicht zu sagen, wie froh ich bin, daß ihr die Explosion gesehen habt und rübergekommen seid.«

Dilullo nickte. »Nun ja, für den Moment habe ich nur noch eine weitere Frage...« Er hatte sich abgewandt, während er sprach. Jetzt wirbelte er plötzlich wieder herum und griff mit der Hand nach der Waffe in seinem Gürtel.

Chane sprang wie der Blitz aus der Koje. Sein katzengleicher Sprung überwand den breiten Raum zwischen ihnen in übernatürlicher Schnelligkeit. Mit der linken Hand entriß er dem anderen die Waffe, während seine Rechte in Dilullos Gesicht krachte. Dilullo schlug der Länge nach auf den Kabinenboden.

Chane richtete die Waffe auf ihn. »Gibt es irgendeinen Grund, warum ich nicht abdrücken sollte?«

Dilullo fuhr sich über die blutenden Lippen, sah auf und sagte: »Keinen bestimmten, abgesehen davon, daß sie nicht geladen ist.«

Chane grinste grimmig. Dann, als seine Finger sich fester um den Schaft der Waffe schlossen, erstarb sein Grinsen. In der Waffe steckte kein Magazin.

»Das war ein Test«, sagte Dilullo und kam etwas steif wieder auf die Beine. »Während du bewußtlos warst und ich das Medilight aufstellte, habe ich deine Muskulatur gefühlt. Ich hatte bereits davon gehört, daß varnische Schiffe diesen Sternenhaufen durchkämmen. Ich wußte, daß du kein Varnier warst... du konntest natürlich das feine Fell abrasiert haben und so weiter, aber du konntest deine Kopfform nicht ändern. Aber nichtsdestotrotz: Du hattest die Muskeln eines Sternenwolfes. Dann«, fuhr Dilullo fort, »erinnerte ich mich an die Gerüchte, die ich

16

auf den Außenwelten gehört hatte, über einen Erdenmenschen, der mit den Varniern auf Beutezug ging, ja, einer von ihnen war. Ich habe das nicht geglaubt, niemand hat das geglaubt, denn mit der Kraft und Schnelligkeit der Varnier, die auf einem Planeten mit extrem hoher Schwerkraft aufwachsen, könnte kein Erdenmensch mithalten. Aber du könntest es. Was du gerade eben bewiesen hast. Du bist ein Sternenwolf.«

Chane schwieg. Seine Augen waren auf die geschlossene Tür hinter seinem Gegenüber gerichtet.

»Tu mir den Gefallen«, sagte Dilullo, »und glaube mir, daß ich nicht hier heruntergekommen wäre, ohne vorher dafür zu sorgen, daß du nicht das tun kannst, was du gerade tun willst.«

Chane sah ihm in die farblosen Augen und glaubte es.

»In Ordnung«, sagte er. »Und jetzt?«

»Ich bin neugierig«, sagte Dilullo und setzte sich auf eine der Kojen. »Ich möchte eine Menge Dinge erfahren. Speziell über dich.« Er wartete.

Chane warf ihm die nutzlose Waffe zu und setzte sich. Er überlegte einen Moment, und Dilullo half ein wenig nach: »Nur die Wahrheit.«

»Bis jetzt dachte ich, ich wüßte die Wahrheit«, sagte Chane. »Ich glaubte, ein Varnier zu sein. Ich bin auf Varna geboren . . . meine Eltern waren Missionare von der Erde, die die Varnier zu einem besseren Leben bekehren wollten. Natürlich starben sie ziemlich schnell an der hohen Gravitation. Sie hätte auch mich beinahe umgebracht, aber sie hat es nicht ganz geschafft. So wuchs ich unter ihnen auf und glaubte, einer von ihnen zu sein.«

Er konnte die Bitterkeit nicht aus seiner Stimme verbannen. Dilullo beobachtete ihn genau, sagte aber nichts.

»Dann überfielen die Sternenwölfe Shandor Fünf, und ich war dabei, als einer von ihnen. Aber es gab Streit über die Beute, und als ich Ssander niederschlug, versuchte er, mich zu töten. Statt dessen tötete ich ihn, und die anderen wandten sich gegen mich. Ich kam gerade noch mit dem Leben davon.«

Einen Moment später fügte er hinzu: »Jetzt kann ich nicht mehr nach Varna zurück. ›Verdammter Erdenbauer‹, hat Ssander mich genannt. Mich, der ich — bis aufs Blut — genau so ein Varnier bin, wie er es war. Aber zurück kann ich nicht mehr.« Er saß still da und grübelte vor sich hin.

Dilullo sagte: »Du hast zusammen mit denen geplündert, geraubt und zweifellos auch gemordet. Aber bereust du vielleicht irgend etwas davon? Nein. Das einzige, was dir leid tut, ist, daß sie dich aus ihrem Rudel verbannt haben. Mein Gott, du bist ein wahrer Sternenwolf.«

Chane ging nicht darauf ein. Nach einer kurzen Pause fuhr Dilullo fort. »Wir — meine Männer und ich — sind in den Corvus-Sternenhaufen gekommen, um einen Job zu erledigen. Einen ziemlich gefährlichen Job.«

»Und?«

Dilullos Augen taxierten ihn. »Wie du sagst: Du bist, bis auf das Blut, ein echter Varnier. Du kennst jeden Sternenwolf-Trick, den es gibt, und es gibt eine ganze Menge davon. Ich könnte dich gut brauchen.«

Chane lächelte. »Ein schmeichelhaftes Angebot. — Nein.«

»Denk besser noch einmal drüber nach«, sagte Dilullo. »Und berücksichtige folgendes: Meine Männer würden dich auf der Stelle umbringen, wenn ich ihnen erzählte, daß du ein Sternenwolf bist.«

»Und du wirst es ihnen sagen, es sei denn, ich schließe mich euch an?« vermutete Chane.

Jetzt war es an Dilullo, zu lächeln. »Nicht allein die Varnier können skrupellos sein.« Und er fügte hinzu: »Und außerdem: Du weißt doch sowieso nicht, wo du hin sollst, oder?«

»Nein«, sagte Chane, und seine Miene verfinsterte sich. »Nein.«

Nach kurzem Schweigen erkundigte er sich: »Wie kommst du darauf, daß du mir trauen könntest?«

Dilullo erhob sich. »Einem Sternenwolf trauen? Hältst du mich für verrückt? Ich vertraue einzig und allein dem Umstand, daß dir klar ist, daß du stirbst, wenn ich ein wenig über dich ausplaudere.«

Chane sah zu ihm auf. »Und gesetzt den Fall, es würde dir etwas zustoßen, so daß du nichts mehr ausplaudern könntest?«

»Das«, sagte Dilullo, »wäre sehr bedauerlich . . . für dich. Ich hätte schon dafür gesorgt, daß dein kleines Geheimnis im Falle eines solchen Falles automatisch bekannt würde.«

Sie schwiegen eine Weile. Dann fragte Chane: »Worum geht's bei dem Job?«

»Es ist ein riskantes Unternehmen«, sagte Dilullo, »und je mehr Leute vorzeitig davon erfahren, um so riskanter wird es. Geh fürs erste davon aus, daß du deinen Hals aufs Spiel setzen und ihn sehr wahrscheinlich verlieren wirst.«

»Was dich in keinen allzu tiefen Kummer stürzen würde, oder?« erkundigte sich Chane.

Dilullo zuckte die Schultern. »Ich sag' dir, wie's ist, Chane. Wenn ein Sternenwolf stirbt, ist das ein Festtag auf allen anständigen Welten.«

Chane grinste. »Zumindest verstehen wir uns.«

3

Silberne Tropfen durchzogen den Nachthimmel. Die Kharal genannte Welt befand sich im Herzen des Sternenhaufens, und das System, zu dem sie gehörte, lag nahe am Corvus-Nebel. Diese große Sternenwolke spannte sich als gewaltiger glimmender Fleck über den Himmel, eingerahmt von der strahlenden Schönheit des Sternenhaufens, so daß bei Nacht stets sanftes Licht und tiefschwarze Schatten über dem Planeten lagen.

Chane stand im Schatten des Schiffes und sah über den kleinen und stillen Raumhafen hinweg auf die Lichter der Stadt. Diese rötlichen Lichter zeichneten eine riesige Pyramide vor den schwarzen Nachthimmel. Eine sanfte Brise trug ihm von dort den würzigen Duft von bitteren Kräutern und ein entferntes Summen und Raunen entgegen.

Einige Stunden vorher waren Dilullo und ein weiterer Söldner im Schutze der Dunkelheit von einem kharalischen Fahrzeug heimlich zur Stadt gebracht worden.

»Ihr bleibt hier«, hatte Dilullo sie angewiesen. »Ich nehme Bollard mit und sonst niemanden, um mit denen zu sprechen, die uns anheuern wollen.«

Chane grinste, als er sich daran erinnerte. Die anderen Söldner waren im Schiff, spielten Karten. Aber warum sollte er hier herumhängen?

Er machte sich unter dem sanft glimmenden Himmel auf den Weg zur Stadt. Der Raumhafen lag dunkel und still da; verlassen bis auf zwei pummelige interstellare Frachter und diverse bewaffnete kharalische Raumkreuzer. Niemand begegnete ihm auf dem Weg zur Stadt, nur einmal zischte eines der dreirädrigen kharalischen Fahrzeuge röhrend an ihm vorbei. Die Leute hier waren Stadtwesen. Auch diejenigen, die in den Minen arbeiteten, die den Reichtum dieser Welt erbrachten, kehrten über Nacht in die Städte zurück. Eine karge, flache Landschaft erstreckte sich um ihn herum, lautlos und silberglänzend unter den Nebelsternen.

Chane fühlte Erregung in sich aufsteigen. Er war zwar schon auf einer Reihe von seltsamen Planeten gewesen, aber immer als Sternenwolf, was hieß: Er war stets ein gefürchteter und gehaßter Feind gewesen. Aber hier, allein, wie er war, wer sollte ihn da für etwas anderes halten als für einen Erdenmenschen?

Kharal hatte etwa die gleiche Größe wie die Erde, und Chane, die hohe Schwerkraft von Varna gewöhnt, stellte fest, daß er sich mit leicht unsicherem Gang vorwärtsbewegte. Aber als er die Stadt erreichte, hatte er sich der niedrigeren Schwerkraft angepaßt.

Die Stadt war aus einem Stück, vor Urzeiten herausgehauen aus dem schwarzen Fels eines Berges. Jetzt war es ein Stadt-Berg mit hoch aufgetürmten Galerien, Fenstern und erschreckend zerbrechlich wirkenden Terrassen, mit fremdartigen Figuren, die auf jeder Ebene über den Rand des Berges herausragten, um das Regenwasser abzuleiten; ein gigantischer, mit Leben gefüllter Bienenstock, aufgetürmt bis hinauf in die sanften Himmel des Sternennebels. Chanes Blick wanderte höher und höher hinauf. Aus dem Summen und Raunen war inzwischen ein dumpfes Dröhnen geworden.

Durch einen großen Torbogen betrat er das Erdgeschoß des Stadtberges. Zwei metallene Torflügel dienten dazu, das Tor bei Gefahr zu verschließen. Allerdings waren sie seit längerer Zeit nicht mehr geschlossen worden, und Wind und Wetter hatten sie so zerfressen, daß die Reliefs, die Könige, Krieger, Tänzer und seltsame Tiere zeigten, kaum noch zu erkennen waren.

Chane stieg, ohne den Gleitweg daneben zu beachten, eine breite steinerne Rampe empor. Mit einemmal war er umringt vom pulsierenden, dröhnenden Leben der Stadt: Menschen und Nicht-Menschen, die menschlichen Kharaler und die humanoiden Eingeborenen, hohe und sanfte Stimmen, gutturale und kehlige. Die Menge schob sich unter den rötlichen Leuchten durch die Hallen, ab und zu auseinanderfließend, um einem haarigen Humanoiden den Weg freizumachen, der ein kleines, an den Vorderfüßen gefesseltes, seltsames Tier zum Markt brachte. Über allem hing der Duft und Rauch fremdartiger Gerichte von den Imbißständen auf den Galerien, das Geschrei der Straßenhändler, die ihre Waren anpriesen, und der einschmeichelnde Singsang der kharalischen Multiflöten.

Die Menschen von Kharal waren ein hochgewachsenes schlankes Volk, keiner von ihnen maß weniger als zwei Meter. Ihre blauen Gesichter blickten verächtlich auf Chane hinab. Die Frauen wandten sich von ihm ab, als hätten sie etwas Ekelerregendes gesehen, und die Männer ließen ihn abfällige Bemerkungen hören und machten sich über ihn lustig. Ein kleiner schlaksiger Junge in einer ziemlich verschmutzten Robe heftete sich eng an Chanes Fersen, um zu zeigen, daß selbst er den Erdenmenschen deutlich überragte, und das höhnische Gekichere verdoppelte sich. Andere Jungs schlossen sich ihm an, und als er sich auf den Weg nach oben machte, zog Chane ein johlendes Gefolge hinter sich her.

Chane ignorierte sie auf seinem Weg zu immer neuen Ebenen, und nach kurzer Zeit wurde ihnen das Spiel zu langweilig, und sie zogen ab. *Es dürfte gefährlich sein, diese Stadt zu überfallen*, dachte er, *diese Galerien könnten sehr leicht zu tödlichen Fallen werden.*

Doch dann erinnerte er sich wieder daran, daß er nicht länger zu den Varniern gehörte, daß er bei den Beutezügen der Sternenwölfe nicht mehr dabeisein würde.

Er hielt an einem Stand und kaufte sich eine Tasse eines scharfen, beinahe ätzenden alkoholischen Getränkes. Als er ausgetrunken hatte, nahm der Kharaler, der ihn bedient hatte, die Tasse und schrubbte sie demonstrativ ab, was wiederum mit Gekicher belohnt wurde.

Chane erinnerte sich, was Dilullo ihnen vor der Landung über die Kharaler erzählt hatte.

Sie waren natürlich echte Menschen, wie die Völker vieler Sternenwelten. Das war auch die größte Überraschung für die irdischen Raumforscher gewesen, nachdem sie den Stardrive, den Antrieb für die interstellare Raumfahrt, perfektioniert hatten: die Menge der von menschlichen Völkern bewohnten Welten. Es stellte sich heraus, daß die Erdenmenschen nicht die ersten gewesen waren. Viele Planeten waren von einem raumfahrenden menschlichen Urvolk besiedelt worden, vor so langer Zeit, daß es nur noch vage Überlieferungen von ihnen gab. Aber dieses Urvolk hatte sich unter dem Druck generationenwährender Evolution verändert, und die Kharaler waren das hiesige Ergebnis.

»Für die Kharaler stehen andere menschliche Völker so weit unter ihnen wie ihre eigenen Eingeborenen«, hatte Dilullo gesagt. »Sie leben äußerst zurückgezogen und mögen keine Fremden. Halte dich also bitte zurück.«

Und Chane hielt sich zurück. Er ignorierte die spöttischen Blicke und die verächtlichen Bemerkungen, auch wenn einige der letzteren von den Kharalern in Galakto, der Standardsprache der Galaxis, geäußert wurden und deutlich zu verstehen waren. Er trank noch etwas, vermied es geflissentlich, die kharalischen Frauen anzusehen, stieg dann die Rampen und Treppen weiter empor und machte hier und da Halt, um ein paar Merkwürdigkeiten näher zu betrachten. Während ihrer Beutezüge hatten die Varnier kaum Zeit für die jeweiligen Sehenswürdigkeiten, und für Chane war all das eine völlig neue Erfahrung, die er genoß.

Er gelangte auf eine weitläufige Galerie, deren eine Seite sich komplett dem nächtlichen Nebelhimmel öffnete. Unter dem rötlichen Licht hatte sich eine kleine Gruppe Kharaler um etwas versammelt, das Chanes Blicken verborgen war. Er hörte sie lachen und ab und zu ein merkwürdiges Zischen. Chane arbeitete sich nach vorne, ohne jemanden anzustoßen oder zu drängen, um einen Blick zu erhaschen.

Einige der Humanoiden waren hier, behaarte Kreaturen mit zu vielen Armen und sanften, stupiden Augen. Einige von ihnen trugen Lederriemen bei sich, mit eigenartigen Schlaufen an den Enden. Zwei hatten diese Schlingen um die Beine eines geflügelten Wesens zwischen ihnen gezogen. Es war eine Art Reptil, halb so groß wie ein Mensch. Sein Körper war mit Schuppen bedeckt und besaß einen Kinnlappen, sein zahnbewehrter Schnabel hieb in blinder Wut um sich. Machte es einen Ausfall in die eine Richtung, wurde es von dem Riemen an seinem anderen Bein zurückgezogen. Wenn dies geschah, verfärbten sich die Schuppen des Tieres feuerrot, und es gab ein wütendes Zischen von sich.

Die hochgewachsenen Kharaler fanden das amüsant. Sie lachten jedesmal, wenn die Schuppen rot wurden, und jedesmal, wenn das wilde Zischen einsetzte. Chane hatte solche Tierkämpfe bereits auf vielen Welten gesehen und fand sie kindisch. Er wandte sich um und wollte den Ring verlassen.

Etwas rauschte leise, und um jeden seiner Arme legte sich eine Schlinge. Er wirbelte herum. Zwei Kharaler hatten den Humanoiden die clever konstruierten Fangseile abgenommen und Chane damit eingefangen. Die Menge brach in bösartiges Gelächter aus.

Chane stand still und setzte ein Lächeln auf. Er blickte in die amüsierten, höhnisch blauen Gesichter, die ihn umringten.

»In Ordnung«, sagte er in Galakto. »Ich verstehe. Für euch ist ein Erdenmensch ein komisches Viech. Und jetzt gebt mich wieder frei.«

Aber so einfach ließen sie ihn nicht gehen. Das Seil um seinen linken Arm spannte sich, zog ihn abrupt zur Seite. Als er reagierte und versuchte, sein Gleichgewicht zu halten, wurde das Seil an seinem rechten Arm angezogen, so daß er stolperte.

Das Gelächter schwoll an und übertönte sogar die entfernteren Flöten. Das schuppige Reptil war vergessen.

»Okay«, sagte Chane. »Ihr habt euren kleinen Spaß gehabt.« Er unterdrückte seine Wut. Indem er hier war, hatte er bereits Befehle mißachtet, und er hatte kein Interesse daran, seine Lage noch zu verschlimmern.

Seine Arme flogen plötzlich nach oben, seitlich ausgestreckt, grotesk in beide Richtungen weisend, als die beiden Kharaler gleichzeitig an ihren Seilen zogen. Einer der Humanoiden kam heran und tollte vor Chane herum, wobei er auf ihn und dann auf das schuppige Reptil zeigte. Das war ein Spaß, den sogar seine unterentwickelte Intelligenz verstand, und seine Kapriolen entrissen den blauen Menschen neue Lachsalven. Sie beteiligten sich an dem Spiel und blickten zuerst auf den Humanoiden und dann auf Chane.

Chane drehte seinen Kopf zur Seite und blickte den Kharaler an, der das Seil um seinen linken Arm hielt. Sanft bat er: »Würdest du mich jetzt loslassen?«

Die Antwort war ein harter und schmerzhafter Zug an seinem rechten Arm. Der Kharaler grinste ihn boshaft an.

Chane bewegte sich mit aller Kraft und Schnelligkeit, die seine varnatrainierten Muskeln in dieser geringeren Schwerkraft hergaben. Er sprang auf den Kharaler zu seiner Rechten zu, und die Kraft dieses Sprunges riß den Mann am linken Seil von den Füßen.

Chane tauchte dicht vor dem hochgewachsenen, überraschten Kharaler auf. Er riß seine Arme hoch, und jede seiner beiden Hände umschloß einen der Oberarme seines Gegenübers direkt unterhalb der Schultern. Dann nahm er all seine Kraft zusammen und hebelte die Arme des Kharalers nach oben. Ein zweifaches dumpfes Knacken, ähnlich dem Brechen feuchter Äste, war zu vernehmen. Chane trat zurück.

Der Kharaler stand nur da, sein Gesicht eine Maske des Schreckens. Seine langen, dürren Arme hingen schlaff herunter, jeder von ihnen in der Nähe der Schulter gebrochen.

Für einen Moment erstarrten die Kharaler. Es war, als könnten sie es einfach nicht glauben, als hätte sich ein mitleidig belächelter Straßenköter plötzlich in einen reißenden Tiger verwandelt.

Chane nutzte den Moment, der Menge zu entschlüpfen und quer über die Galerie auf eine nahegelegene Treppe zuzulaufen. Dann erhob sich ein wütendes Geschrei hinter ihm. Er begann zu rennen, die Treppe hinauf, immer drei Stufen auf einmal nehmend.

Er lachte, während er lief. Den kharalischen Sadisten würde er nicht so schnell vergessen, und ebensowenig, wie sich sein bösartiger Gesichtsausdruck zu einer Maske des Schmerzes verzerrt hatte.

Die Treppe brachte ihn in einen dunklen Korridor im Felsen. Sein Blick traf auf eine weitere Treppe, und er folgte ihr weiter nach oben. Der ganze Stadtberg war ein Labyrinth von Gängen.

Er gelangte in einen breiten, in rötliches Licht getauchten Bazar, der sich bis in die Unendlichkeit zu erstrecken schien und von den blauen Menschen, die an ungezählten Ständen plapperten, überflutet war. Hinter einem Stand mit unglaublich häßlichen, kleinen, schlangenarmigen Götzen machte Chane eine schmale, abwärts führende Treppe aus. Er schob sich durch die Menge, wobei blaue Gesichter überrascht auf ihn herabsahen.

Nach oben zu gehen hatte keinen Sinn, hier heraus kam er nur, wenn es ihm gelang, das Erdgeschoß des Stadtberges zu erreichen. Er war schon an schlimmeren Orten gewesen und machte sich keine großen Sorgen.

Die schmale Treppe, die er hinunterrannte, endete plötzlich in einem großen Raum im Felsen. Die glimmenden rosa Leuchten zeigten ihm ein kleines Amphitheater, um das herum Kharaler in ihren Roben saßen und auf eine kleine Bühne in der Mitte herabsahen.

Drei fast nackte Kharaler-Mädchen tanzten auf der Bühne zu den klagenden Klängen der Multiflöten. Sie tanzten inmitten glänzender stählerner Zähne, fünfzehn Zentimeter lange, scharfe Klingen, die in Abständen von etwa achtzig Zentimetern aus dem Boden herauswuchsen. Die schlanken blauen

Körper hüpften und wirbelten herum, die bloßen Füße kamen dicht neben den grausamen Klingen wieder auf den Boden, bevor sie erneut sprangen. Dabei ließen die Mädchen ihr langes schwarzes Haar schwingen und lachten.

Chane starrte sie fasziniert an. Er empfand Bewunderung, ja beinahe Liebe für diese drei Mädchen, die im Tanz mit der drohenden Gefahr noch lachen konnten.

Dann vernahm er das Echo entfernter Gongschläge und Fußgetrappel, das die Treppe hinter ihm herabkam. Er setzte seine Flucht fort, als die Verfolger das Ende der Treppe erreicht hatten.

Er hatte nicht damit gerechnet, daß sich den Verfolgern jemand mit einer Waffe angeschlossen haben könnte. Nicht, bis er das Summen des Lähmstrahlers hinter sich hörte.

4

Dilullo saß in der großen schattigen Steinhalle hoch oben im Stadtberg und fühlte seine Frustration und seinen Ärger wachsen.

Er saß hier bereits seit Stunden, und die Oligarchen, die Kharal regierten, hatten sich noch immer nicht gezeigt. Die andere Seite des Tisches war unbesetzt, abgesehen von Odenjaa, dem Kharaler, der vor Wochen in Achernar Kontakt mit ihm aufgenommen und sie in dieser Nacht vom Schiff auf geheimen Pfaden in die Stadt gebracht hatte.

»Bald«, sagte Odenjaa, »sehr bald werden die Herrscher von Kharal hier sein.«

»Das hast du schon vor zwei Stunden gesagt«, sagte Dilullo.

Er hatte es satt. Der Stuhl, auf dem er saß, war verflucht unbequem, denn er war für größere Wesen gedacht, und Dilullos Beine baumelten herab wie die eines Kindes.

Er war ziemlich sicher, daß sie ihn absichtlich warten ließen. Aber er konnte nichts tun, als sich zusammenzunehmen und den Eindruck zu erwecken, als brächte ihn nichts aus der Ruhe. Bollard, der in seiner Nähe saß, sah ziemlich sorglos aus, aber das Mondgesicht des dicken Bollard, des härtesten der Söldner, ließ schließlich auch selten irgend etwas erkennen.

Die Beleuchtung verbreitete ein rötliches Glühen im Raum, das seinen Augen weh tat, die Felswände aber schwarz und düster in der Dunkelheit beließ. Durch das offene Fenster drang kalte Nachtluft, und mit ihr kamen die flüsternden Flöten und Stimmen aus allen Ebenen des großen Ameisenhaufens unter ihnen herein.

Plötzlich hatte Dilullo von den fremden Welten die Nase voll. Er hatte zu viele von ihnen gesehen während seiner Laufbahn, die nun schon zu lange dauerte. Ein Söldner war mit vierzig alt. Was zum Teufel hatte er hier draußen im Corvus-Sektor überhaupt verloren?

Er dachte mißmutig: ›Hör auf, dich selbst zu bemitleiden. Du bist hier, weil du gern viel Geld verdienst, und weil dies die einzige Möglichkeit für dich ist, das zu schaffen.‹

Schließlich kamen die Herrscher von Kharal. Es waren sechs, hochgewachsen und in prunkvolle Gewänder gehüllt; mit einer Ausnahme waren sie in mittlerem oder gesetztem Alter. In einem feierlichen Ritual nahmen sie am Tisch ihre Plätze ein. Dann erst schauten sie herablassend zu Dilullo und Bollard hinüber.

Dilullo hatte es schon mit einer ganzen Reihe von Sternenwelten und ihren Bewohnern zu tun gehabt — wenn auch noch mit keiner, die so abgekapselt existierte wie diese —, und er war nicht gewillt, sich einschüchtern zu lassen und die Verhandlungen aus einer unterlegenen Position zu führen. Er sagte laut und deutlich auf Galakto: »Sie haben nach mir schicken lassen.«

Dann schwieg er, starrte auf die Herrscher von Kharal und wartete auf ihre Antwort.

Der jüngste unter ihnen, dessen Gesicht sich vor Ärger verdunkelt hatte, sagte schließlich schroff: »*Ich* habe nicht nach Ihnen schicken lassen, Erdenmensch.«

»Warum bin ich dann hier?« verlangte Dilullo zu wissen. Er wies in Odenjaas Richtung und sagte: »Dieser Mann kam vor vielen Wochen auf Achernar zu mir. Er sagte mir, daß Kharal einen Feind habe, den Planeten Vhol, die äußerste Welt dieses Systems. Er sagte, daß Ihre vholanischen Feinde eine gefährliche neue Waffe hätten, die Sie zerstören lassen wollten. Er versicherte mir, daß Sie mich gut bezahlen würden, wenn ich mit einigen Leuten käme, um Ihnen zu helfen.«

Seine absichtlich herablassende Feststellung ließ die anderen ärgerlich die Stirn runzeln, nur der älteste der Kharaler, dessen faltiges Gesicht wie von Spinnweben überzogen wirkte, sah ihn mit kalten Augen prüfend an.

Der älteste der Männer war es auch, der ihm antwortete: »Wir als Gemeinschaft haben nach Ihnen schicken lassen, wenn auch einer von uns dagegen war. Es kann durchaus sein, daß wir Verwendung für Sie haben, Erdenmann.«

Beleidigung gegen Beleidigung, dachte Dilullo. Er hoffte, daß sie nun, da sie sich gegenseitig ihre Verachtung kundgetan hatten, endlich zum Geschäftlichen kommen konnten.

»Warum sind die Bewohner von Vhol Ihre Feinde?« fragte er.

Der alte Mann antwortete: »Das ist einfach. Sie haben es auf die Bodenschätze unserer Welt abgesehen. Sie sind zahlreicher als wir, und sie haben eine etwas fortschrittlichere Technologie.« Er sprach das letzte Wort wie ein Schimpfwort aus. »Und so versuchten sie, mit einer Streitmacht hier zu landen und unseren Planeten zu erobern. Wir haben ihren Angriff zurückgeschlagen.«

Dilullo nickte. Es war die alte Geschichte. Ein Sternensystem entwickelte die Raumfahrt, und dann versuchte eine der Welten, die anderen zu unterwerfen und ein Imperium zu gründen.

»Aber diese neue Waffe, wie haben Sie davon erfahren?«

»Es gab Gerüchte«, sagte der alte Kharaler. »Vor einigen Monaten konnten unsere Kreuzer dann ein vholanisches Erkundungsschiff unschädlich machen. Ein Offizier überlebte. Wir konnten ihn gefangennehmen und ausfragen. Er sagte uns alles, was er wußte.«

»Alles?«

Odenjaa erklärte grinsend: »Wir haben da gewisse Drogen, mit denen wir jemanden bewußtlos machen können, und während seiner Bewußtlosigkeit beantwortet er jede Frage — ohne sich hinterher daran zu erinnern.«

»Was hat er gesagt?«

»Er sagte, daß Vhol uns bald völlig vernichten würde, daß sie aus dem Corvus-Nebel eine Waffe mitbrächten, mit er sie uns auslöschen würden.«

»Aus dem Nebel?« Dilullo war bestürzt. »Aber das ist ein Labyrinth da draußen, unerforscht und gefährlich . . .« Er brach ab und sagte dann mit säuerlichem Lächeln: »Ich kann verstehen, warum Sie Söldner für diesen Job anheuern wollen.«

Der jüngste der Herrscher von Kharal sagte schroff und schnell etwas in seiner eigenen Sprache und sah dabei wütend zu Dilullo hinüber.

Odenjaa übersetzte: »Sie müssen wissen, daß beim Versuch, in den Nebel einzudringen, Kharaler ums Leben gekommen sind, aber unseren Schiffen fehlen die empfindlichen Instrumente, die von den Vholanern und euch Erdenmenschen verwendet werden.«

Dilullo dachte, daß dies möglicherweise die Wahrheit war. Die Kharaler kannten die Raumfahrt noch nicht sehr lange, und sie gehörten zu der Art von isoliert lebenden, traditionsbesessenen Völkern, die für die Raumfahrt nicht sehr viel Talent haben. Sie betrieben selbst keinen interstellaren Handel, Schiffe anderer Welten brachten ihnen Waren im Austausch gegen die seltenen und wertvollen Edelsteine und Mineralien von Kharal. Wenn er es sich genau überlegte, hatte er auch keine große Lust, in einem ihrer Planetenkreuzer durch diesen Nebel zu schaukeln.

Er sagte ernst: »Falls es sich so angehört haben sollte, als wollte ich den Mut der kharalischen Männer in Zweifel ziehen, bitte ich um Entschuldigung.«

Die Herrscher von Kharal wirkten nur mäßig besänftigt. »Aber«, fügte Dilullo hinzu, »ich muß mehr darüber erfahren. Hat Ihr gefangener Vholaner etwas über die Natur dieser Waffe gesagt?«

Der alte Kharaler breitete seine Arme aus. »Nein. Wir haben ihn viele Male unter Drogeneinwirkung befragt, das letzte Mal erst vor ein paar Tagen, aber er weiß nicht mehr.«

»Kann ich mit diesem vholanischen Gefangenen sprechen?« fragte Dilullo.

Sofort wurden sie mißtrauisch. »Warum sollten Sie mit einem unserer Feinde sprechen wollen, wenn Sie für uns arbeiten? Nein.«

Zum ersten Mal sprach Bollard, mit dem sanften Lispeln, das so wenig zu seinem Vollmondgesicht paßte.

»Das ist alles verdammt zu vage, John.«

»Es ist vage«, gab Dilullo zu. »Aber wir könnten es trotzdem schaffen.« Er dachte eine Minute lang nach, dann sah er über den Tisch hinweg die Kharaler an und sagte: »Dreißig Mondsteine.« Sie starrten ihn verwirrt an, und er wiederholte beharrlich: »Dreißig Mondsteine. Das ist unser Preis, wenn wir diese Sache erfolgreich für Sie erledigen.«

Zuerst zeigten sie sich ungläubig, dann wütend. »Dreißig Mondsteine?« fragte der junge kharalische Herrscher. »Glauben Sie, wir würden unbedeutenden Erdenmenschen ein solches Vermögen zahlen?«

»Wie hoch ist der Wert einer Welt?« sagte Dilullo. »Oder der von Kharal? Wie viele Mondsteine werden sich Ihre Feinde nehmen, wenn sie diese Welt erobern?«

Der Ausdruck ihrer Gesichter änderte sich kaum wahrnehmbar. Aber Bollard, der sie genau beobachtete, murmelte: »Sie werden es bezahlen.«

Dilullo gab ihnen keine Zeit, über die Höhe seiner Forderung nachzudenken. »Das ist unser Preis, wenn wir die Waffe Ihres Feindes gefunden und zerstört haben. Aber erst müssen wir herausfinden, ob wir diese Aufgabe überhaupt übernehmen können, und diese Nachforschungen können sehr riskant für uns werden. Drei Mondsteine sind als Vorschuß fällig.«

Diesesmal hatten sie ihre Stimmbänder wieder unter Kontrolle und knurrten wütend: »Und was ist, wenn ihr Erdenmenschen die drei Juwelen nehmt und euch freundlich lächelnd davonmacht?«

Dilullo sah Odenjaa an. »Sie waren derjenige, der Söldner gesucht hat, um sie anzuheuern. Sagen Sie mir doch, ob Sie schon einmal gehört haben, daß Söldner ihre Auftraggeber betrogen haben?«

»Ja«, sagte Odenjaa, »sogar zweimal.«

»Und was passierte mit den Söldnern, die das getan haben?« fragte Dilullo weiter. »Sie müssen auch darüber etwas gehört haben. Erzählen Sie.«

Ein wenig widerwillig antwortete Odenjaa: »Es wird erzählt, daß andere Söldner sie gefangengenommen und sie an die Welten ausgeliefert haben, die sie betrogen hatten.«

»Das ist wahr«, sagte Dilullo zu denen auf der anderen Seite des Tisches. »Wir Söldner sind eine Gilde. Wir könnten nirgendwo in dieser Galaxis arbeiten, wenn auf unser Wort kein Verlaß wäre. Drei Mondsteine im voraus.«

Sie starrten ihn immer noch an, alle bis auf den ältesten Mann. Kalt sagte er: »Holt die Juwelen für sie.«

Einer der Männer ging fort, kam nach kurzer Zeit wieder und rollte mit einer ärgerlichen Geste drei winzige, schillernde Monde auf die Erdenmenschen zu. Winzig, dachte Dilullo, aber wunderschön. Wunderschön, wie sie einen Teil des Raumes mit tanzenden, überwältigenden Lichtwirbeln füllten.

Er hörte Bollard scharf einatmen und fühlte sich wie ein Gott, als er die Hand ausstreckte, drei Monde ergriff und sie in seine Tasche steckte.

Von einer der Türen kam ein Geräusch, und Odenjaa ging hin. Als er zurückkehrte, funkelten seine Augen Dilullo an.

»Da ist etwas, das Sie betrifft«, zischte er. »Einer Ihrer Männer ist hier eingedrungen und hat versucht, jemanden zu töten...«

Zwei hochgewachsene Kharaler kamen herein, zwischen sich eine wie betrunken torkelnde Gestalt stützend.

»Überrascht?« fragte Chane, bevor er zu Boden ging.

5

Es schien Chane, bevor er erwachte, als höre er Dilullos
Stimme, die von weit her zu ihm sprach. Er wußte, daß das
nicht sein konnte. Er erinnerte sich genau daran, wie er, von
dem Betäubungsstrahl getroffen, benommen zu Boden gefallen
war, als seine Häscher ihn losgelassen hatten.

Er erinnerte sich daran, flach auf dem Boden liegend die
Stimme eines Kharalers sagen zu hören: »Dieser Mann geht
nicht mit Ihnen. Er muß hierbleiben, um bestraft zu werden.«

Und an Dilullos Stimme, die ruhig geantwortet hatte: »Dann
behaltet und bestraft ihn eben.« Und daß ihn seine Häscher auf
die Beine gestellt, ihn durch diverse Ebenen an einen Ort mit
Zellen gebracht und ihn in eine derselben geworfen hatten.

Chane öffnete die Augen. Richtig, er befand sich in der Fel-
sen-Zelle, deren vergitterte Tür auf einen rötlich beleuchteten
Korridor führte. Zur gegenüberliegenden Seite hin blickte er
durch eine zwanzig Quadratzentimeter große Maueröffnung
hinaus auf den glitzernden Nachthimmel über Kharal.

Er lag auf dem feuchten Steinboden. Einige seiner Rippen
schmerzten, und er erinnerte sich daran, daß sie eine Weile auf
ihn eingetreten hatten, nachdem sie ihn in die Zelle geworfen
hatten.

Chane fühlte, daß die Taubheit langsam aus seinem Körper
wich, und zog sich in eine sitzende Position, wobei er den
Rücken gegen die Wand lehnte. Er begann wieder klar zu denken, sah sich in der Zelle um und fühlte einen wilden Zorn in
sich aufsteigen.

Er war nie zuvor eingesperrt gewesen. Kein Sternenwolf hatte
je in einem Gefängnis gesessen . . . wurde einer von ihnen während eines Überfalls gefangengenommen, wurde er sofort gnadenlos getötet. Natürlich wußten diese Leute hier nicht, daß er
— abgesehen einzig und allein vom Aussehen — ein echter Sternenwolf war. Das änderte jedoch nichts an dem unerträglichen
klaustrophobischen Gefühl.

Er wollte sich gerade aufrappeln und seine Kraft an den

dicken Metallstangen der Zellentür ausprobieren, als es erneut geschah. Er hörte schwach Dilullos Stimme, als spräche sie aus großer Entfernung zu ihm.

»Chane . . . ?«

Chane schüttelte den Kopf. So eine Betäubungsladung konnte merkwürdige Auswirkungen auf das Nervensystem haben.

»Chane?«

Chane erstarrte. Das schwache Flüstern war nicht richtungslos. Es schien von einem Punkt unterhalb seiner linken Schulter zu kommen. Er blickte an sich herab. Da war nichts außer dem Knopf, der die Brusttasche seiner Jacke verschloß. Er legte den Kopf ein wenig zur Seite und brachte die Tasche samt dem Knopf an sein Ohr heran.

»Chane!«

Er konnte es jetzt ganz deutlich hören — die Stimme kam aus dem Knopf. Chane brachte ihn vor seinen Mund und flüsterte hinein.

»Als du mir diese tolle neue Jacke gegeben hast, warum hast du mir nicht gesagt, daß dieser Knopf ein kleines Funkgerät ist?«

Dilullos Stimme antwortete trocken: »Wir Söldner haben unsere kleinen Tricks, Chane. Aber wir legen keinen Wert darauf, daß sie jeder kennt. Ich hätte es dir später schon noch gesagt, sobald ich sicher sein konnte, daß du uns nicht verläßt.«

»Danke«, sagte Chane. »Und herzlichen Dank, daß du abgehauen bist und mich den Kharalern überlassen hast.«

»Danke nicht mir«, sagte die trockene Stimme, »du hast es dir selbst zuzuschreiben.«

Chane grinste. »Ich glaube, das habe ich, diesmal.«

»Zu schade«, sagte Dilullos dünne Stimme, »daß sie dich morgen früh holen und dir zur Vergeltung beide Arme brechen werden. Ich weiß nicht, was du tun wirst, wenn sie dich anschließend aus der Stadt werfen, um dich einen langsamen Tod sterben zu lassen.«

Chane brachte den Knopf wieder dicht vor seine Lippen und

flüsterte: »Hast du dir etwa die ganze Mühe gemacht, mich über den Funkknopf zu informieren, nur um mir dein Mitgefühl auszusprechen?«

»Nein«, antwortete Dilullos Stimme, »da ist noch etwas.«

»Dachte ich mir's doch. Und was?«

»Hör mir gut zu, Chane. Die Kharaler halten einen vholanischen Offizier gefangen. Vermutlich im selben Gefängnisbereich, in dem du steckst. Ich will diesen Mann haben. Wir fliegen nach Vhol, und sie wären uns gegenüber wohl weniger mißtrauisch, wenn wir ihnen einen der ihren mitbrächten, den wir befreit haben.«

Chane verstand. »Aber warum bittest du nicht die Kharaler, ihn dir zu übergeben?«

»Sie wurden bereits mißtrauisch, als ich nur mit dem Mann sprechen wollte. Wenn ich sie darum bitten würde, ihn mitnehmen zu dürfen, wären sie vollständig davon überzeugt, daß ich in Wirklichkeit für die Vholaner arbeite.«

»Wird es sie nicht genauso mißtrauisch machen, wenn ich diesem Vholaner zur Flucht verhelfe?«

Dilullo antwortete scharf: »Mit etwas Glück haben wir Kharal dann bereits hinter uns und ihr Mißtrauen ist nicht mehr wichtig. Jetzt hör auf zu diskutieren und hör zu. Ich möchte nicht, daß der Mann weiß, warum du ihm hilfst. Erzähle ihm einfach, daß du ihn brauchst, um wieder aus dem Kerker herauszufinden, daß du ohnmächtig warst, als sie dich heruntergebracht haben, und so weiter.«

»Nicht unputzig«, sagte Chane. »Aber du hast eine Kleinigkeit vergessen, nämlich wie ich aus meiner Zelle kommen soll.«

»Der Knopf an der rechten Jackentasche ist ein Miniatur-Strahler. Stufe sechs für vierzig Sekunden. Der Auslöser ist auf der Rückseite«, sagte Dilullo.

Chane schaute hinab auf den Knopf. »Und wie viele von diesen netten Spielsachen habt ihr noch?«

»Wir haben noch ein paar mehr, Chane. Aber du nicht. Mehr als die zwei konnte ich dir nicht anvertrauen.«

»Was ist, wenn dieser Vholaner gar nicht hier, sondern sonstwo eingesperrt ist?« erkundigte sich Chane.

Dilullos Stimme flüsterte unbeeindruckt: »Dann findest du ihn besser. Solltest du ohne ihn auftauchen, brauchst du gar nicht erst zum Schiff zu kommen. Wir starten dann ohne dich.«

»Weißt du was«, sagte Chane bewundernd, »manchmal denke ich, du würdest gar keinen schlechten Sternenwolf abgeben.«

»Noch etwas, Chane. Wenn wir Erfolg haben, müssen wir zurück nach Kharal, um zu kassieren. Also keine Toten. Ich wiederhole: keine Toten. Ende.«

Chane rappelte sich auf und streckte lautlos seine Arme und Beine für einige Minuten, bis er sicher war, daß alle Taubheit aus ihnen gewichen war. Auf Zehenspitzen schlich er zur Gittertür und drückte sein Gesicht gegen die Stäbe.

Gegenüber seiner Zelle konnte er eine Reihe von ebensolchen Gittertüren sehen. Am Ende des Ganges ragten gerade noch die Füße eines Wachtpostens, der sich auf einem Stuhl ausgestreckt hatte, in sein Blickfeld. Er trat zurück und überlegte.

Etwas später hatte er beide Knöpfe vorsichtig von seiner Jacke gelöst. Den Funkknopf steckte er in eine seiner Hemdtaschen. Dann zog er die Jacke aus und kniete sich an der Gittertür zu Boden.

Vorsichtig, um niemanden aufmerksam zu machen, wickelte er seine Jacke um das untere Ende eines der Gitterstäbe. Ebenso vorsichtig drückte er die winzige Mündung des Knopf-Strahlers gegen den Gitterstab. Mit seiner freien Hand zog er ein Stück der Jacke über seine andere Hand und den Knopf. Dann drückte er den Auslöser auf der Rückseite des Knopfes.

Der winzige Strahl wurde von der Jacke verdeckt und das leise Zischen von Chane mit einem ›Hustenanfall‹ übertönt. Er ließ den Strahl für zwanzig Sekunden arbeiten und gab den Auslöser dann wieder frei.

Kleine Qualmwolken stiegen aus verbrannten Stücken seiner Jacke auf. Chane benutzte seine Hände als Fächer, um den Qualm in die Zelle zu leiten. So würde er sich durch die Felsöffnung verflüchtigen, statt durch den Gang zu ziehen.

Er wickelte die verbrannte Jacke von dem Gitterstab ab. Der Stab war durchtrennt.

Chane überlegte. Er konnte den Stab zusätzlich an einer anderen Stelle durchtrennen und dann das Stück herausnehmen, aber das wollte er nur, wenn es gar nicht anders ging; möglicherweise würde er den Ministrahler noch einmal dringend brauchen.

So steckte er das winzige Gerät in die Tasche, ergriff den durchtrennten Stab und prüfte ihn. Was er fühlte, sagte ihm, daß seine varnische Kraft ausreiche, den Stab zu verbiegen. Aber er war ebenso sicher, daß das nicht lautlos ablaufen würde.

Wenn du noch lange überlegst, könnte es sein, daß du stirbst, bevor du dich zu irgend etwas entschlossen hast. Chane ergriff den durchtrennten Stab und ließ all seine Wut, eingesperrt zu sein, in kraftvoller wilder Woge in seine Muskeln fließen.

Der Stab bog sich nach innen — mit einem metallischen Kreischen.

Der Spalt war breit genug, daß er sich hindurchzwängen konnte, und rasch verließ er die Zelle, denn jetzt hieß es: schnell oder gar nicht.

Der khalarische Wächter sprang von seinem Stuhl auf und sah, wie der Erdling sich ihm wie ein schwarzer Panther in rasanten Sätzen und unglaublicher Geschwindigkeit näherte.

Chanes Hand schlug zu, und der Wächter versuchte mit schwindenden Sinnen vergebens einen in die Wand eingelassenen Knopf zu erreichen, als er besinnungslos zu Boden ging. Chane zog ihn ganz auf den Boden und durchsuchte ihn, aber der Wächter hatte keine Waffe bei sich — und keine Schlüssel. Chane drehte sich um; seine Augen suchten den Gang ab. Er konnte nichts entdecken, was wie eine Überwachungskamera aussah. Offensichtlich waren die Kharaler, die für technischen Schnickschnack nicht viel übrig hatten, der Meinung, daß der Alarmknopf ausreichte.

Ebenso offensichtlich steckten sie nicht allzu viele ins Gefängnis, denn die meisten Zellen waren leer. Das überraschte Chane nicht. Nach allem, was er von den Kharalern gesehen hatte, hatten sie mehr Freude daran, einen Übeltäter hinzurichten oder öffentlich zu strafen, als ihn einzusperren.

In einer Zelle lag ein Humanoide ausgestreckt und schnarchend. Seine haarigen Arme bewegten sich im Schlaf. Er hatte einige geschwollene blaue Flecken, und der überwältigende Gestank des sauren Rauschmittels ging von ihm aus. Zwei weitere Zellen waren leer, aber in der nächsten schlief ein Mann. Er hatte ungefähr Chanes Größe und Alter, und er war ein weißer Mensch. Kein dunkelhäutiges Weiß, nicht Erdenmenschen-Weiß, sondern ein Albino-Weißer mit feinem weißen Haar. Als Chane zischte und ihn aufweckte, sah er, daß seine Augen nicht die eines Albinos waren, sondern ein klares Blau zeigten.

Der Mann sprang auf die Füße. Er trug eine kurze Tunika, anders als die Roben der Kharaler, und eine Art Harnisch darüber.

»Weißt du, wie man aus dieser Stadt herauskommt?« Chane hatte die Frage auf Galakto gestellt.

Die Augen des Vholaners weiteten sich. »Der Erdenmensch, den sie vor kurzem hereingeschleppt haben. Wie . . .«

»Hör zu«, unterbrach Chane. »Ich bin aus der Zelle herausgekommen. Und ich will auch aus dieser ganzen verdammten Stadt herauskommen. Aber ich war besinnungslos, als sie mich hereingebracht haben, und ich weiß nicht, wo ich bin. Kannst du mich führen, wenn ich dich da raushole? Kennst du dich hier aus?«

Der Vholaner begann aufgeregt zu plappern. »Ja, ja, ich kenne mich aus; sie haben mich schon oft hier rausgeholt und zurückgebracht − zum Verhör. Ich habe nichts gesagt, also haben sie mich unter Drogen gesetzt und mich zurückgebracht, aber ich habe alles mitbekommen, ich weiß . . .«

»Dann tritt zurück.« Chane bückte sich und durchtrennte mit der restlichen Energie des Ministrahlers das untere Ende eines der Gitterstäbe. Aber die Energie reichte nicht ganz aus.

Der Stab war zu neun Zehnteln durchtrennt. Chane setzte sich und stemmte die Füße gegen die anderen Gitterstäbe. Dann packte er den angeschnittenen Stab unmittelbar über der Kerbe − und ließ ihn mit einem gemurmelten Fluch schnell wieder los. Er war noch heiß.

Chane wartete eine Minute, versuchte es erneut und entschied, daß der Stab sich genügend abgekühlt hatte. Er stemmte seine Füße gegen das Gitter, nahm seine ganze Kraft zusammen und zog. Die kräftigen Muskeln, die er Varna verdankte, bewegten sich und schwollen an. Der fast durchtrennte Stab brach mit einem ›Klank‹ heraus. Chane ruhte sich nicht aus, sondern zog weiter, und der Gitterstab krümmte sich langsam nach außen. Der Vholaner zwängte sich rasch hindurch.

»Mann, du bist ganz schön stark!« rief er aus und starrte auf das Gitter.

»Das sah nur so aus«, log Chane. »Ich habe den Stab oben angeschnitten, bevor ich dich geweckt habe.«

Der Vholaner deutete auf die Tür am Ende des Ganges, genau gegenüber derjenigen, vor der der kharalische Wächter gesessen hatte.

»Der einzige Weg nach draußen«, flüsterte er. »Und immer von außen abgeschlossen.«

»Was ist dahinter?« wollte Chane wissen.

»Zwei weitere kharalische Wachen. Sie sind bewaffnet. Wollte der Wächter hinaus, rief er einfach durch die Tür.«

Der Mann, bemerkte Chane, versuchte schnell zu sprechen und sich kurz zu fassen, aber er zitterte vor Aufregung.

Chane dachte nach. Er sah nur einen Weg, diese Tür aufzubekommen, also würden sie diesen gehen und sehen, ob es funktionierte.

Er packte den Vholaner am Arm und eilte mit ihm lautlos den Gang hinunter zu dem bewußtlos am Boden liegenden Wärter. Er forderte den Vholaner auf, sich an die Wand zu stellen, direkt neben dem Alarmknopf. Dann nahm Chane den bewußtlosen Wärter auf und lehnte ihn mit der Vorderseite gegen den Vholaner.

»Sorg dafür, daß er stehenbleibt«, sagte Chane. Es sah nicht besonders überzeugend aus, fand er. Der bewußtlose Wärter war größer als der Vholaner, und seine in einer Robe steckende Gestalt hing wenig realistisch, wie betrunken, nach vorne über. Aber er verdeckte den an der Wand stehenden Vholaner vollkommen. Wenn der Betrug nur ein paar Sekunden wirkte, sollte das ausreichen.

»Wenn ich zische, drückst du den Knopf und bewegst dich nicht mehr«, befahl Chane und raste zurück, um sich neben der Tür aufzubauen.

Er zischte. Eine Glocke schrillte auf der anderen Seite der Tür. Die Tür schwang einen Moment später nach innen, in den Korridor, Chane hinter sich verbergend.

Einen Moment lang geschah nichts. Dann passierten die schnellen Schritte von vier Füßen die Tür. Die beiden Kharaler, beide mit Lähmstrahlern bewaffnet, beeilten sich zwar, aber auch nicht zu sehr. Sie hatten einen Blick in den Raum geworfen und den Innen-Wärter gesehen, der mit dem Rücken zu ihnen an der Wand stand — aber keine Gefangenen außerhalb ihrer Zellen.

Chane sprang so schnell er konnte hinter sie, und seine flachen Hände schlugen zu und trafen. Die beiden sackten zusammen. Er nahm sich den Lähmstrahler des einen und verabreichte jedem von ihnen einen Schuß damit, der sie für einige Zeit ruhigstellen würde.

Dann ging er den Gang zurück und mußte leise lachen, als er den Vholaner sah. Der versuchte gerade, sich unter dem bewußtlosen Körper hervorzuarbeiten, was aussah, als ringe er mit ihm. Chane verabreichte auch diesem Kharaler eine Dosis aus dem Lähmstrahler.

Scharf forderte er den Vholaner auf: »Jetzt raus hier! Nimm die andere Waffe.«

Als er die Zelle passierte, in der der haarige Humanoide geschlafen hatte, sah er, daß die Kreatur wach war und mit rotumrandeten Augen durch die Gitterstäbe starrte, offensichtlich noch zu berauscht, um sich einen Reim auf das zu machen, was vor sich ging — auch wenn er die nötige Intelligenz gehabt hätte.

»Leg dich wieder aufs Ohr, mein haariger Bruder«, sagte Chane zu ihm. »Wir sind beide nicht für das Leben in der Stadt gemacht.«

Sie kamen in den Raum, aus dem die beiden Wachen gekommen waren. Hier war niemand mehr, und es gab nur eine weitere Tür. Diese führte hinaus auf eine der breiten Galerien, und auch dort befand sich niemand.

Die Stadt schien ruhiger zu sein, beinahe schlafend. Chane konnte Echos leisen Flötenspiels von irgendwo unter ihnen hören und eine entfernte Stimme ärgerlich brüllen.

»Hier entlang«, drängte der Vholaner. »Der Haupt-Gleitweg ist in dieser Richtung.«

»Das schaffen wir nie«, sagte Chane. »Es ist immer noch zuviel Betrieb, und sie könnten uns erkennen, sobald sie unsere kleine Gestalt ausmachen.«

Er durchquerte die Galerie, lehnte sich über die Brüstung und blickte hinaus in die Nacht.

Der Nebel hatte sich ein gutes Stück über den Himmel geschoben, während sich Kharal auf den kommenden Tag zubewegte. Die silbernen Strahlen fielen jetzt schräg herunter, und die grotesken steinernen Regenrinnen-Figuren, die aus der steil abfallenden Oberfläche des Stadtberges hervorragten, warfen lange, verzerrte schwarze Schatten.

Auf jeder Ebene war so ein Wasserspeier, und Chane schätzte, daß sie sich zehn Ebenen über dem Boden befanden. Er faßte einen Entschluß.

»Wir gehen über die Außenwand nach unten«, sagte er. »Sie ist rauh und verwittert, und die Wasserspeier werden uns auch Halt geben.«

Der Mann von Vhol blickte nach draußen, dann nach unten. Er konnte zwar nicht mehr blasser werden, als er ohnehin schon war, aber was er konnte, war, ein bißchen krank auszusehen, und das tat er denn auch.

»Komm mit oder bleib hier, es liegt bei dir«, sagte Chane. »Für mich macht das keinen Unterschied.«

Und er dachte: *Nur den Unterschied zwischen Leben und Tod, wenn ich ohne diesen Mann zurückkomme.*

Der Vholaner schluckte und nickte. Sie stiegen über die niedrige Mauer und begannen ihren Abstieg.

Es war nicht ganz so einfach, wie es sich Chane ausgemalt hatte. Der Felsen war nicht so verwittert, wie es die schrägen

Schatten hatten erscheinen lassen. Er krallte sich fest, daß seine Fingernägel rissen, und ließ sich zum ersten Regenrinnenungetüm unter ihm hinab.

Der Mann von Vhol folgte ihm, das Gesicht flach gegen den Felsen gepreßt. Er atmete in kurzen, heftigen Zügen und schnappte keuchend nach Luft, als er Chane erreichte.

So ging es weiter abwärts, von einem Wasserspeier zum nächsten. Jede der steinernen Monstrositäten schien lästerlicher und abstoßender zu sein als ihr Vorgänger. Als sie die fünfte erreicht hatten, legten sie eine Pause ein, um sich auszuruhen. Chane sah sich den Wasserspeier im silbernen Nebellicht genauer an und dachte, wie lächerlich er aussehen mußte, auf der Außenwand des Stadtberges klebend, auf dem steinernen Rücken einer unförmigen Kreatur, deren Gesicht und Hinterteil eins waren. Er lachte kurz vor sich hin. Der Vholaner wandte ihm sein weißes Gesicht zu und sah ihn an, als mache er sich Sorgen um seinen Geisteszustand.

Es wurde deutlich schwieriger, je tiefer sie abstiegen, denn sie kamen einem der großen Tore und einer Gruppe in Roben gekleideter Figuren, die sich dort aufhielt, gefährlich nahe. Die beiden klammerten sich an den Schatten wie an einen guten Freund und rannten davon, die Straße zum Raumhafen meidend, aber ihrer Richtung folgend. Keiner hielt sie an, das Schiff nahm sie auf und verließ den Planeten.

6

Der Mann, der sich als Yorolin vorgestellt hatte, redete und redete und füllte Dilullos kleine Kabine mit seinen Protesten.

»Es gibt keinen Grund, warum ihr mich nicht nach Vhol zurückbringen könnt«, behauptete er.

»Sieh mal«, sagte Dilullo. »Ich habe jetzt schon genug Ärger in diesem System. Wir haben gehört, daß es hier einen Krieg gibt, und kamen her, um Waffen zu verkaufen. Aber ich lande auf Kharal und werde sofort wieder rausgeworfen, weil einer meiner Männer in einen Streit verwickelt wird. Und es sieht so aus, als könnte Vhol genauso feindselig sein. Ich werde den dritten Planeten anfliegen, Jarnath.«

»Das ist eine ziemlich barbarische Welt«, sagte Yorolin. »Die Humanoiden dort sind ein armseliger Haufen.«

»Na, dann wissen sie es bestimmt zu schätzen, einige moderne Waffen bekommen zu können, und haben möglicherweise auch etwas Wertvolles, was sie dagegen eintauschen können«, sagte Dilullo.

Chane, der in einer Ecke saß und das Gespräch verfolgte, bewunderte den Bluff, den Dilullo da abzog. Er war gut... gut genug, um Yorolin jetzt verzweifelt dreinblicken zu lassen.

»Ich gehöre einer der mächtigen Familien von Vhol an, und ich habe Einfluß«, sagte er. »Euch wird nichts geschehen. Ich garantiere dafür.«

Dilullo stellte sich zweifelnd. »Ich weiß nicht. Ich würde gern auf Vhol Geschäfte machen, wenn ich könnte. Ich werde es mir überlegen.« Und er fügte hinzu: »In der Zwischenzeit legst du dich am besten etwas hin. Du siehst aus, als hättest du in der letzten Zeit nicht viel Schlaf gehabt.«

Yorolin nickte etwas unsicher. »Stimmt.«

Dilullo führte ihn hinaus auf den engen Gang. »Leg dich in Douds Kabine, da drüben, er hat im Moment Wache auf der Brücke.«

Als Dilullo zurück in die Kabine kam und sich hinsetzte, erwartete Chane seine Standpauke. Statt dessen öffnete Dilullo einen Spind und holte eine Flasche heraus.

»Einen Drink gefällig?«

Überrascht, was er aber nicht zeigte, nickte Chane und nahm den Drink entgegen. Er schmeckte ihm nicht.

»Irdischer Whisky«, sagte Dilullo. »Man muß sich erst dran gewöhnen.«

Er lehnte sich zurück und sah Chane mit düsterem Blick unverwandt an.

»Wie ist es auf Varna?« fragte er unvermittelt.

Chane überlegte. »Es ist eine große Welt. Aber keine besonders reiche Welt . . . zumindest, bis wir die Raumfahrt hatten.«

Dilullo nickte. »Bevor die Menschen von der Erde kamen und euch beibrachten, wie man Sternenschiffe baut, und euch auf die Galaxis losließen.«

Chane lächelte. »Das liegt schon lange zurück, aber ich habe davon gehört. Die Varnier tricksten die Erdenmenschen aus wie kleine Kinder. Sie sagten, alles, was sie wollten, sei, sich am friedlichen Handel mit anderen Welten zu beteiligen, genauso wie die Erdenmenschen.«

»Und seitdem haben wir die Sternenwölfe«, sagte Dilullo. »Wenn die unabhängigen Welten nur einmal aufhörten, sich gegenseitig zu bekämpfen, könnten sie sich zusammenschließen und Varna ausmisten.«

Chane schüttelte den Kopf. »So einfach würde es nicht werden. Im Raum kann es niemand mit den Varniern aufnehmen, denn keiner kann die Andruckwerte überstehen, die sie aushalten.«

»Aber wenn eine ausreichend starke Koalitionsflotte einflöge . . .«

»Würde sie es schwer haben. In diesem Arm der Galaxis gibt es eine Reihe von mächtigen Sternenwelten. Wir Varnier haben sie niemals überfallen, vielmehr treiben wir Handel mit ihnen, unsere Beute für ihre Produkte. Sie verdienen an uns, und sie würden jeden Versuch von Außenweltlern verhindern, in ihren Raum einzudringen.«

»Ein verdammt unmoralisches Arrangement, aber das dürfte die Varnier ja nicht weiter stören«, murmelte Dilullo. »Wie ich gehört habe, haben sie überhaupt keine Religion.«

»Religion?« Chane schüttelte den Kopf. »Keine Spur. Deshalb sind meine Eltern ja nach Varna gekommen. Aber sie hatten nicht den geringsten Erfolg mit ihrer Missionsarbeit.«

»Keine Religion, keine Moral«, sagte Dilullo. »Aber ihr habt einige Gesetze und Regeln. Besonders wenn ihr auf Beutezüge geht.«

Chane begann langsam zu verstehen. Aber er nickte nur und sagte: »Ja, die haben wir.«

Dilullo füllte sein eigenes Glas wieder. »Ich will dir etwas erzählen, Chane. Die Erde ist auch eine arme Welt. So mußten viele von uns raus in den Weltraum, um unseren Lebensunterhalt zu verdienen. Wir überfallen niemanden, aber wir übernehmen die Drecksarbeiten der Galaxis, die sonst niemand erledigen will.

Wir werden angeworben, aber wir sind unabhängig ... wir sind keine herumstreifenden Banden. Hat jemand einen Auftrag für die Söldner, wendet er sich an einen Söldnerkommandanten, der sich einen Namen gemacht hat ... wie mich. Der Kommandant sucht die Söldner zusammen, die sich am besten für den anstehenden Job eignen, und bekommt ein Söldnerschiff gegen einen entsprechenden Anteil gestellt. Wenn der Job erledigt und der Gewinn aufgeteilt ist, gehen die Söldner wieder auseinander. Das nächste Mal, wenn ich ein Unternehmen starte, kann eine völlig andere Gruppe zusammenkommen.

Worauf ich hinauswill«, fuhr er fort, und seine Augen bohrten sich nun in die Chanes, »ist, daß während eines Jobs unser aller Leben davon abhängen kann, daß alle Anweisungen befolgt werden.«

Chane zuckte die Schultern. »Wie du dich vielleicht erinnerst, habe ich nicht darum gebeten, mich überhaupt an diesem Job zu beteiligen.«

»Du hast nicht darum gebeten, aber wir haben ihn«, sagte Dilullo harsch. »Du bildest dir Gott weiß was darauf ein, daß du ein Sternenwolf warst. Ich sage dir jetzt eines: Solange du bei mir bist, wirst du ein äußerst zahmer Wolf sein. Du wirst warten, wenn ich sage ›warte‹, und du wirst nur dann beißen, wenn ich sage ›beiß‹. Hast du mich verstanden?«

»Ich verstehe, was du sagst«, antwortete Chane vorsichtig. Nach einer kurzen Pause fragte er: »Meinst du, du kannst mir verraten, was wir auf Vhol wollen?«

»Ich glaube, das kann ich«, sagte Dilullo, »denn wenn du dort deinen Mund darüber nicht halten kannst, bist du so gut wie tot. Vhol ist nur ein Zwischenstopp. Was wir suchen, befindet sich irgendwo im Nebel. Die Vholaner haben irgend etwas da drinnen, eine Waffe oder etwas in der Art, was die Kharaler fürchten und zerstört haben möchten. Das ist der Job, für den wir engagiert wurden.«

Er schwieg einen Moment und fügte dann hinzu: »Wir könnten natürlich auch direkt in den Nebel fliegen und dort jahrelang herumsuchen, ohne etwas zu finden. Besser, wir gehen nach Vhol und lassen uns von den Vholanern zu dem führen, was sie dort draußen verstecken. Aber das ist nicht ganz ungefährlich, und wenn sie herausbekommen, worauf wir aus sind, brauchen wir uns über morgen keine Gedanken mehr zu machen.«

Chanes Interesse war geweckt. Er sah das Gesicht der Gefahr, das Gesicht, das er sein ganzes Leben hindurch gekannt hatte, seit er zum erstenmal von Varna aus auf Beutezug gegangen war. Gefahr war der Gegner, gegen den du gekämpft hast. Und wenn du ihn besiegt hattest, konntest du mitsamt deiner Beute entkommen; hattest du verloren, warst du tot. Aber ohne den Kampf hattest du dich einfach gelangweilt, so wie er sich auf diesem Schiff gelangweilt hatte, bis jetzt.

»Wie haben die Kharaler von dieser vholanischen Watte erfahren? Yorolin?«

Dilullo nickte. »Yorolin sagte ihnen, daß die Vholaner dort draußen etwas hätten, aber wußte nicht, was es war. Aber Yorolin ahnt nicht, daß er etwas ausgeplaudert hat. Er stand unter Drogen, war bewußtlos, als sie ihn ausgequetscht haben.«

Chane nickte. »Und jetzt läßt du dich von Yorolin überreden, nach Vhol zu gehen?«

»Ja«, antwortete Dilullo. »Er wird es nicht allzu schwer haben, mich dazu zu kriegen. Ich hoffe nur, es wird genauso leicht werden, da wieder wegzukommen!«

Als Chane zurück in den Mannschaftsraum ging, fand er dort nur vier Männer, denn während des Fluges übernahmen die Söldner die Aufgabe der Besatzung. Die vier saßen in ihren Kojen und hatten sich unterhalten, aber sie hörten auf zu reden, als er hereinkam.

Bollard wandte ihm sein Vollmondgesicht zu und fragte mit seiner lispelnden Stimme: »Na, Chane... hat es dir in der Stadt gefallen?«

Chane nickte. »Es war ganz nett.«

»Das ist schön«, sagte Bollard. »Findet ihr nicht auch, daß das schön ist, Jungs?«

Rutledge warf Chane einen haßerfüllten Blick zu, sagte jedoch nichts, Bixel dagegen, ohne von dem kleinen Gerät aufzusehen, das er verdeckte, meinte gedehnt, daß dies wirklich schön sei.

Sekkinen, ein großer, harmlos aussehender Mann, der immer etwas bedrückt wirkte, verschwendete keine Zeit für Höflichkeiten. Er sagte laut zu Chane: »Du hättest beim Schiff bleiben sollen. Du hast den Befehl gehört.«

»Ja, aber Chane ist nicht wie wir, er ist etwas Besonderes«, sagte Bollard. »Er muß etwas Besonderes sein, sonst hätte John keinen solchen felshüpfenden Prospektor aufgenommen und ihn zu einem vollwertigen Söldner gemacht.«

Chane hatte von Anfang an gewußt, daß sie verärgert darüber waren, daß sie ihn akzeptieren mußten, aber es würde mehr als nur Ärger geben, wenn sie die ganze Wahrheit über ihn erführen.

»Nur«, sagte Bollard zu ihm, »daß die Kharaler durch deinen Auftritt so sauer geworden sind, daß sie uns hätten töten können. Was, wenn das passiert wäre?«

»Das hätte mir leid getan«, sagte Chane mit einem honigsüßen Lächeln.

Bollard strahlte ihn an. »Sicher hätte es das. Und ich will dir was sagen, Chane. Wenn jemals wieder so etwas passieren sollte, dann werde ich dir weiteren Kummer dadurch ersparen, daß ich dich einfach umbringe.«

Chane schwieg. Er erinnerte sich daran, was Dilullo über Söldner gesagt hatte, deren Leben von den anderen Söldnern abhing, und er wußte, daß die gelispelte Warnung ernst gemeint war. Er sagte sich, daß diese Erdenmenschen zwar keine Varnier waren, aber daß sie auf ihre Weise genauso gefährlich sein konnten, und daß die Söldner ihren harten Ruf nicht umsonst hatten. Es schien ihm das beste zu sein, den Mund zu halten und sich schlafen zu legen.

Als er erwachte, befand sich das Schiff im Landeanflug auf

Vhol, und er schloß sich einigen der Söldner an, die an der vorderen Luke standen, um sich den Planeten anzuschauen. Durch treibende Wolken sahen sie auf dunkelblaue, fast gezeitenlose Ozeane und die Küsten grüner Kontinente hinab.

»Sieht fast so aus wie die Erde«, sagte Rutledge.

Chane hätte fast ›wirklich?‹ gesagt, aber es gelang ihm, diese verräterische Frage herunterzuschlucken.

Als das Landemanöver sie tiefer brachte, sagte Bixel: »Eine Stadt, die dieser da gleicht, gibt es aber auf der Erde nicht. Außer vielleicht Alt-Venedig, nachdem man es fünfzigmal in die Luft gejagt hat.«

Das Schiff näherte sich einer flachen Küste, der eine Unmenge von kleinen Inseln vorgelagert war. Die See zog sich in Hunderten von natürlichen Wasserwegen zwischen den Inseln hindurch, und auf den Inseln drängten sich die weißen Gebäude einer weitläufigen Stadt, keines davon sehr hoch. Weiter im Landesinneren, wo das Gelände ein wenig anstieg, gab es einen mittelgroßen Raumhafen und dahinter Reihen von großen weißen Blöcken, die wie Lagerhäuser oder Fabriken aussahen.

»Eine fortschrittlichere Welt als Kharal«, sagte Rutledge. »Seht es euch an, sie haben mindestens ein halbes Dutzend eigene Sternenschiffe hier stehen, und dazu noch diverse Schiffe anderer Planeten.«

Als sie gelandet waren und die Schleuse geöffnet hatten, sprach Yorolin zunächst in seiner eigenen Sprache mit den beiden jungen, weißhaarigen vholanischen Hafenbeamten.

Die vholanischen Beamten zeigten sich mißtrauisch. Einer von ihnen sprach Dilullo auf Galakto an, nachdem Yorolin ihn als den Verantwortlichen vorgestellt hatte.

»Sie haben Waffen geladen?«

»Waffenmuster«, korrigierte Dilullo.

»Warum bringen Sie sie nach Vhol?«

Dilullo setzte ein beleidigtes Gesicht auf. »Ich bin überhaupt nur hierhin gekommen, um Ihrem Freund Yorolin einen Gefallen zu tun. Aber vielleicht können wir hier auch gleich noch ein paar Geschäfte machen.«

Der Beamte blieb höflich unüberzeugt. Dilullo erklärte geduldig: »Schauen Sie, wir sind Söldner, und alles, was wir wollen, ist, unseren Lebensunterhalt zu verdienen. Wir haben gehört, daß es in diesem System eine Art Krieg geben soll, also sind wir mit einigen Mustern der modernsten Waffen hergekommen. Allerdings scheint unser Vorhaben unter keinem guten Stern zu stehen. Erst landen wir auf Kharal, und bevor wir überhaupt etwas über Geschäfte sagen können, werden wir schon wieder rausgeworfen, weil einer meiner Männer in Schwierigkeiten gerät. Und wenn jetzt auch ihr nicht sehen wollt, was wir anzubieten haben... Na gut, Schwamm drüber, aber es ist nicht nötig, einen Aufstand daraus zu machen.«

Wieder sprach Yorolin schnell auf einen der Beamten in ihrer eigenen Sprache ein, und schließlich nickte der Beamte.

»Na gut, wir erlauben die Landung. Aber wir werden eine Wache vor Ihrem Schiff postieren. Keine der Waffen darf von Bord gebracht werden.«

Dilullo nickte. »In Ordnung, ich verstehe.« Er wandte sich an Yorolin. »Jetzt möchte ich Kontakt zu jemandem in Ihrem Bürokratentum aufnehmen, der daran interessiert sein könnte, modernste Waffen zu kaufen. Wer wäre das?«

Yorolin überlegte. »Thrandirin könnte Ihr Mann sein... ich werde ihn sofort informieren.«

Dilullo sagte: »Ich werde hier sein, wenn er mich kontaktieren will.« Er ließ seinen Blick über die Söldner wandern. »Während wir hier sind, könnt ihr reihum Stadturlaub nehmen. Außer dir, Chane... du bekommst keinen Urlaub.« Chane hatte so etwas erwartet, und er sah, daß die Söldner vor Zufriedenheit grinsten. Aber als Yorolin begriff, was los war, erhob er wortreich Einspruch.

»Chane ist derjenige, der mich gerettet hat«, sagte Yorolin. »Ich möchte, daß meine Familie und meine Freunde ihn kennenlernen. Ich bestehe darauf!«

Chane sah, wie sich Frustration und Verärgerung auf Dilullos Gesicht breitmachten, und ihm war nach Zurückgrinsen zumute, aber er tat es nicht.

»Na gut«, sagte Dilullo unwillig. »Wenn Sie so großen Wert darauf legen.«

Während sie auf die vholanischen Wächter warteten, weil die Hafenbeamten sie vorher nicht vom Schiff lassen würden, fand Dilullo Gelegenheit, unter vier Augen mit Chane zu sprechen.

»Du weißt, warum wir hier sind. Um herauszufinden, was in dem Nebel vor sich geht, und wo. Halte deine Ohren offen, aber wirke nicht zu neugierig. Und, Chane...«

»Ja?«

»Ich bin nicht davon überzeugt, daß Yorolin wirklich so dankbar ist. Es könnte sein, daß sie durch dich etwas über uns herausfinden wollen. Sei auf der Hut.«

7

Sie hatten alle getrunken und waren ausgelassen, und ein paar der Männer sogar mehr als das. Außer Chane waren drei Mädchen und vier Männer dabei, und sie waren eine vergnügte Fracht für den proppenvollen Gleiter, der sich unter dem glühenden Nebelhimmel langsam seinen Weg durch die überfüllten Wasserstraßen bahnte.

Yorolin sang ein rhythmisches Lied, das das Mädchen neben Chane, deren Name Laneeah – oder so ähnlich – war, für ihn übersetzte. Das Lied handelte von Liebe und Blumen und solchen Dingen, und Chane konnte damit nichts anfangen; auf Varna hatten die Lieder von Raubzügen und Kämpfen erzählt, vom Trotzen der Gefahren in der Galaxis und von der schatzbeladenen Heimkehr. Andererseits gefielen ihm die Vholaner und ihre Welt, die, da sie der äußerste Planet der riesigen roten Sonne war, ein angenehm tropisches Klima hatte und nicht so verbrannt und trocken war wie Kharal.

Die Wasserstraßen waren ruhig, und der Wind war nur eine starke Brise, schwer vom treibenden Duft der blühenden Bäume, die auf beiden Seiten wuchsen. Diese Inseln bildeten das Vergnügungsviertel der vholanischen Stadt, und sie waren das einzige, was Chane bisher zu sehen bekommen hatte — abgesehen von der überraschend protzigen Villa, in der er Yorolins Eltern und Freunde kennengelernt hatte und in der diese Party begonnen hatte.

Er hatte immer Dilullos Ermahnung, die Ohren offenzuhalten, im Hinterkopf, aber er glaubte nicht, daß er in dieser Gruppe etwas hören würde, das ihnen weiterhelfen würde.

»Wir sehen nicht viele Erdenmenschen hier«, sagte Laneeah. Ihr Galakto war sehr gut. »Nur ab und zu ein paar Händler.«

»Und wie gefallen wir Ihnen?« erkundigte sich Chane und empfand ein ironisches Vergnügen darüber, für einen Erdenmenschen gehalten zu werden.

»Häßlich«, sagte sie. »Farbiges Haar, sogar schwarzes Haar wie Ihres. Gesichter, die rot oder braun sind, nicht weiß.« Sie gab einen leisen Laut, der Abscheu ausdrückte, von sich, aber sie lächelte dabei, so als ob sie ihn gar nicht so häßlich fände.

Plötzlich mußte er an Varna denken und an Graal, das schönste Mädchen, das er dort gekannt hatte, und wie sie ihren herrlichen, mit feinem, goldenem Fell bedeckten Körper mit seiner Haarlosigkeit verglichen und ihn damit aufgezogen hatte.

Dann lief der Gleiter eine Landestelle mit vielen Lichtern und launiger Musik an, und sie gingen an Land. Es handelte sich um eine Art Vergnügungsbasar, mit kleinen Häusern, die mit ihren spitzen Dächern und bunten Leuchtkörpern unter den großen blühenden Bäumen standen, und einer ziellos umherschwärmenden Menschenmenge. Die Vholaner gaben ein attraktives Bild ab; sie waren stolz auf ihre weißen Körper und ihre weißen Haare und trugen knielange Tuniken in leuchtenden Farben.

Sie setzten sich in eine Laube aus riesigen feuerfarbenen Blüten und tranken noch mehr von dem fruchtigen vholanischen Wein, und Yorolin schlug mit der Faust auf den Tisch und sprach voller Leidenschaft auf Chane ein.

»Draußen, im tiefen Weltall, da sollte ich sein, so wie Sie, und nicht in einem elenden Planetenkreuzer herumschippern.« Sein Gesicht war vom Wein gerötet, und auch Chane begann den Alkohol zu spüren und ermahnte sich, vorsichtig zu sein.

»Warum sind Sie denn nicht draußen?« fragte er Yorolin. »Vhol hat doch Raumschiffe, ich habe sie auf dem Raumhafen gesehen.«

»Nicht so viele«, antwortete Yorolin. »Und man braucht ein gewisses Alter, um auf einem davon anzuheuern, aber eines Tages bin ich einer von denen, eines Tages . . .«

»Nun hör auf, über Sterne zu reden. Komm und amüsier dich«, sagte Laneeah. »Oder Chane und ich lassen dich hier sitzen.«

Sie gingen weiter, an einigen Ständen vorbei. Ein Kaleidoskop von Eindrücken: Jongleure, die silberne Glocken in die Luft warfen, Blumen, die in Sekunden aus Samen heranwuchsen und auf ihre Köpfe niedersanken, mehr Wein und Tänzer und noch mehr Wein.

Es war in der letzten Bar, einem langen niedrigen Raum mit flammendroten Wänden, der von Feuerkugeln in Kohlenbecken beleuchtet wurde, als Yorolin plötzlich ausrief: »Schauen Sie — ein Pyam! Ich hab' schon seit Jahren keines mehr gesehen! Kommen Sie, Chane, das ist etwas, von dem Sie viel zu erzählen haben werden.«

Er führte Chane durch den Raum. Die anderen waren zu sehr ins Gespräch vertieft, um ihnen zu folgen.

An einem Tisch saß ein stämmiger Vholaner, und auf dem Tisch saß eine Kreatur, die mit einer dünnen Kette am Handgelenk des Mannes befestigt war. Sie sah aus wie ein kleiner gelber Zwerg, geformt wie ein Rettich, und mit kurzen Beinen und einem Körper, der in einen halslosen, spitzen Kopf mit zwei zwinkernden Augen und einem kleinen Babymund überging.

»Kann es Galakto sprechen?« fragte Yorolin, und der Mann mit der Kette nickte.

»Das kann es. Es bringt mir manche Münze von den Außenweltlern ein.«

»Was zum Teufel ist das?« fragte Chane.

Yorolin grinste. »Es ist nicht mit menschlichen Rassen verwandt, obwohl es entfernt danach aussieht. Es ist ein seltener Bewohner unserer Wälder . . . es verfügt über eine gewisse Intelligenz und eine bemerkenswerte Fähigkeit.« Er forderte den

Vholaner auf: »Laß dein Pyam meinem Freund eine Demonstration geben.«

Der Vholaner sprach in seiner eigenen Sprache zu dem Pyam. Das Geschöpf drehte sich um und sah Chane an – irgendwie war die Wirkung seines blinzelnden Starrens beunruhigend.

»O ja«, sagte es mit einer flachen, papageienähnlichen Stimme. »O ja, ich kann Erinnerungen sehen. Ich sehe Männer mit goldenem Haar, und sie rennen auf kleine Schiffe zu, in einer fremden Welt, und sie lachen. O ja, ich sehe...«

In plötzlichem Erschrecken erkannte Chane, was es mit der seltsamen Fähigkeit des Pyams auf sich hatte. Es konnte Gedanken und Erinnerungen lesen und sie mit seiner quietschenden Stimme ausplappern. Und in der nächsten Sekunde würde es ein Geheimnis ausplaudern, das seinen Tod bedeuten würde.

»Was ist das für ein Unsinn?« fragte Chane laut dazwischen. Er wandte sich an den Vholaner. »Ist das Ding ein Telepath? Wenn es einer ist, fordere ich es heraus, zu erkennen, was ich jetzt im Moment denke.«

Und er drehte sich um, sah das Pyam an, und dachte währenddessen mit wilder, wütender Intensität: *Wenn du noch mehr aus meinen Gedanken liest, werde ich dich töten, jetzt gleich, auf der Stelle.* Er konzentrierte seine ganze Willenskraft darauf, diesen Gedanken mit leidenschaftlicher Überzeugung zu versehen.

Die Augen des Pyams blinzelten. »O ja, ich sehe«, quietschte es. »O ja...«

»Ja?« sagte Yorolin.

Die zwinkernden Augen sahen in Chanes Gesicht. »O ja, ich sehe... nichts. Nichts. O ja...«

Der Besitzer des Pyams war fassungslos. »Das ist das erste Mal, daß es versagt hat.«

»Vielleicht wirken seine Kräfte nicht bei Erdenmenschen«, sagte Yorolin lachend. Er gab dem Mann eine Münze, und sie gingen weg. »Entschuldigung, Chane, ich dachte, es wäre interessant für Sie...«

Wirklich? dachte Chane. *Oder hast du es so arrangiert, daß das Vieh hier ist, und mich dann zu ihm gebracht, damit es mein Gedächtnis ausspionieren kann?*

Sein Mißtrauen war erneut geweckt. Er erinnerte sich wieder an Dilullos Warnung, die er fast vergessen hatte.

Er ließ sich von all dem nichts anmerken, sondern ging mit Yorolin zurück zum Tisch und trank und lachte mit den anderen. Er dachte nach, und nachdem er sich unauffällig im Raum umgesehen hatte, faßte er einen Entschluß. Er begann mehr zu trinken als zuvor, und das so auffällig wie möglich.

»Nicht so viel«, sagte Laneeah, »oder Sie halten den Abend nicht durch.«

Chane lächelte sie an. »Im Raum zwischen den Sternen gibt es keinen Wein, und ein Mann kann fürchterlich austrocknen.«

Er trank weiter und begann so zu tun, als wäre er ziemlich betrunken. Sein Kopf brummte ein wenig, aber er war noch halbwegs nüchtern und behielt den Vholaner mit seinem Pyam am anderen Ende des Raumes im Auge. Einige Leute versammelten sich um sie, und das Pyam quietschte sie an. Schließlich zahlten sie einige Münzen und gingen weg.

Dann nahm der stämmige Mann das Pyam auf, klemmte es sich wie ein übergroßes Baby unter den Arm und ging hinaus. Er ging durch die Hintertür, wie Chane es gehofft hatte.

Chane gab noch einige Sekunden zu, dann stand er schwankend auf. »Ich bin gleich wieder da«, sagte er mit schwerer Zunge und ging etwas unsicher auf das hintere Ende des Raumes zu, als wollte er eine der Toiletten ansteuern.

Er hörte Yorolin lachen und sagen: »Unser Freund scheint die Weine von Vhol unterschätzt zu haben.«

Chane sah kurz zu ihnen zurück und stellte fest, daß sie ihm nicht nachsahen. Er schlüpfte schnell aus der Hintertür und fand sich in einer dunklen Seitenstraße wieder.

Er sah die dunkle Gestalt des stämmigen Vholaners die Straße hinuntergehen. Chane ging ihm rasch nach, auf Zehenspitzen und in federnden Schritten, die kein Geräusch verursachten. Aber anscheinend spürte das Pyam ihn, denn es quietschte, und der Mann drehte sich blitzschnell um.

Chanes Faust traf ihn am Kinn. Er legte nicht seine ganze

Kraft in den Schlag, was ihm zwar albern vorkam, aber er hatte keine Lust, zu Dilullo zurückzukehren und sagen zu müssen, daß er jemanden umgebracht hatte.

Der Mann fiel zu Boden und zerrte das Pyam an der Kette mit sich. Das Geschöpf quietschte in panischer Furcht.

Sei ruhig! Sei ganz ruhig, und ich werde dir nichts tun, dachte Chane.

Die Kreatur beruhigte sich und sank in sich zusammen, soweit es ihm seine absurd kurzen Beine erlaubten.

Chane nahm dem bewußtlosen Mann das Ende der Kette weg und zerrte den Vholaner in eine unbeleuchtete Ecke zwischen zwei Anbauten.

Das Pyam wimmerte leise. Chane tätschelte seinen spitzen Kopf und dachte: *Dir wird nichts geschehen. Sag mir, wurde dein Besitzer angeheuert, um dich in diese Taverne zu bringen?*

»O ja«, sagte das Pyam. »Goldene Münzen, ja.«

Chane dachte einen Moment darüber nach und dachte dann die Frage: *Kannst du die Gedanken von jemandem lesen, der ein Stück weit weg ist? Beispielsweise am anderen Ende eines Raumes?*

Das Quietschen des Pyams klang, trotz der entschieden bestätigenden Einleitung, zweifelnd. »O ja. Nur wenn ich sein Gesicht sehe.«

Flüstere ab jetzt, dachte Chane. *Flüstern. Kein lautes Geräusch — keine Schmerzen.*

Mit dem Pyam auf dem Arm schlüpfte er zur Hintertür der Bar und öffnete sie ein wenig.

Der Mann an dem Tisch am anderen Ende des Raumes, dachte er, *der Mann, den ich ansehe.* Und er sah Yorolin an.

Das Pyam quietschte in einem gedämpften, verschwörerischen Zirpen.

»O ja . . . hat Chane den Trick durchschaut? Wie konnte er das . . . aber es sah ein bißchen danach aus, als hätte er . . . aber es hat sowieso nicht geklappt, und ich werde Thrandirin berichten müssen, daß ich unseren Verdacht nicht bestätigen kann . . . wir *können* kein Risiko eingehen . . . Was macht

Chane da hinten so lange . . . geht es ihm nicht gut? Vielleicht sehe ich besser mal nach . . .«

Chane schlüpfte geräuschlos zurück auf die Straße. Die blinzelnden kleinen Augen des Pyams sahen ihn angsterfüllt an.

Man hat mir gesagt, daß du aus dem Wald kommst, dachte Chane. *Möchtest du dorthin zurückkehren?*

»O ja. Ja!«

Wenn ich dich freilasse, schaffst du es, dahin zu kommen?

»O ja, o ja, o ja, o ja . . .«

Das reicht, dachte Chane. Er entfernte die dünne Kette und setzte das Pyam auf den Boden. *Na gut. Geh, kleiner Kerl.*

Das Pyam watschelte schnell in die Schatten hinein und verschwand. Mit seinem telepathischen Sinn, der es vor Gefahren warnte, würde es es schon schaffen.

Chane drehte sich um und ging zur Tür zurück. Yorolin machte sich Sorgen um ihn, und er durfte seinen lieben und dankbaren Freund nicht warten lassen.

8

Das große Raumschiff sank majestätisch auf den Raumhafen herab, glänzend und prachtvoll vor dem Glühen des Sternennebels, und schien dabei für einen Moment reglos am Himmel zu hängen.

Dann senkte es sich langsam auf den Bereich des Raumhafens nieder, der für die Militärschiffe von Vhol reserviert war.

Im Navigationsraum des kleinen Söldnerschiffes starrten sich Dilullo und Bixel, der Navigator, erstaunt an.

»Das ist kein Kriegsschiff. Ein ganz gewöhnlicher Frachter. Was tut der im militärischen Sperrgebiet?«

»Entladen«, sagte Dilullo und lehnte sich über Bixels Schulter, um sich die Scanner- und Radaranzeigen anzusehen.

»Es kam auf einem Kurs von fünfzig Grad herein«, sagte Bixel.

Dilullo nickte, und sein erschöpftes Gesicht wirkte streng in dieser Beleuchtung. »Also kommt es nicht aus dem Nebel . . .«

»Es sei den, es hat einen Umweg gemacht.«

»Genau das meine ich. Sie können auf den unterschiedlichsten Wegen hereinkommen und hinausfliegen und dabei absichtlich ein paar Umwege nehmen, um es schwierig zu machen, den Ausgangspunkt ihrer Reise aufzuspüren.«

»Das könnten sie«, sagte Bixel. »Aber wie wär's, wenn wir einfach zu der Annahme zurückkehren, daß sie mit offenen Karten spielen? Ich war ganz zufrieden damit.«

»Ich auch. Aber es muß schon einen besonderen Grund haben, wenn ein gewöhnlicher Frachter in ein Hochsicherheits-Militärgebiet plumpst. Natürlich kann da was ganz anderes hinterstecken . . . wenn sie dagegen etwas sehr Wichtiges aus dem Nebel mitgebracht hätten, dann würden sie genau so handeln.« Er richtete sich auf. »Verfolge weiterhin alle Landungen und Abflüge. Vielleicht ergibt sich daraus ein Muster.«

Er kletterte aus dem überfüllten kleinen Raum und ging hinunter ins Archiv, einen noch überfüllteren kleinen Raum, wo er die Inventarliste, die Preisliste und die Konstruktionspläne für alle Musterwaffen heraussuchte, die er an Bord hatte. Zwar schien niemand ein tieferes Interesse daran zu haben, überhaupt über die Waffen zu reden, und wenn sie wirklich etwas Spektakuläres im Nebel versteckt hätten, dann würden sie sie auch gar nicht brauchen. Aber dennoch wollte er bereit sein, wenn er danach gefragt wurde.

Etwas später rief Rutledge ihn, und Dilullo steckte die Mikrospulen in seine Tasche und ging zur Schleuse. Rutledge zeigte nach draußen. Ein großer Gleiter — diese Dinger hatten Räder und waren als Landfahrzeuge ebenso einzusetzen wie als Wasserfahrzeuge — kam quer über die Landebahnen auf sie zu.

Ein vholanischer Offizier, ein Zivilist und eine ganze Reihe bewaffneter Soldaten stiegen aus dem Fahrzeug, nachdem es vor dem Söldnerschiff angehalten hatte. Der Zivilist war mittleren Alters, ein untersetzter Mann mit massivem Kopf, dessen Gesichtszüge Autorität ausstrahlten. Er kam auf Dilullo zu und musterte ihn kalt.

»Mein Name ist Thrandirin, und ich bin Mitglied der Regierung«, sagte er. »Die Raumhafenüberwachung berichtete, daß Sie Ihr Radar benutzt haben.«

Dilullo fluchte innerlich, aber er schaffte es, seinem Gesicht und seiner Stimme nichts anmerken zu lassen. »Natürlich haben wir das. Wir testen immer unsere Instrumente, wenn wir angedockt haben.«

»Ich fürchte«, sagte Thrandirin, »daß wir Sie und Ihre Männer bitten müssen, während Ihres Aufenthalts nicht an Bord zu bleiben und Ihr Schiff nur in Begleitung einer Eskorte aufzusuchen.«

»Einen Moment mal, bitte«, sagte Dilullo ärgerlich. »Sie können so etwas nicht tun . . . nur weil wir unser Radar getestet haben.«

»Sie könnten den Kurs unserer Kriegsschiffe verfolgt haben«, gab Thrandirin zurück. »Wir leben im Kriegszustand mit Kharal, und die Bewegungen unserer Schiffe sind geheim.«

»Zum Teufel mit Ihrem Krieg gegen Kharal«, sagte Dilullo. »Das einzige, was mich daran interessiert, ist Geld.«

Und das war nur zu wahr. Er zog die Mikrospulen aus der Tasche und schüttelte sie in seiner Hand. »Ich bin hier, um Waffen zu verkaufen. Mir ist völlig gleichgültig, wer sie gegen was einsetzt und wie. Die Kharaler haben offen gesagt, daß sie nicht interessiert sind, und uns rausgeschmissen. Ich würde es begrüßen, wenn ihr Vholaner genauso ehrlich wärt. Wollen Sie kaufen, oder wollen Sie nicht?«

»Das Thema wird noch diskutiert«, sagte Thrandirin.

»Was der universelle Bürokratenausdruck ist für ›Wir werden uns irgendwann mal drum kümmern‹. Wie lange sollen wir darauf warten?«

Der Vholaner zuckte die Schultern. »Bis die Entscheidung gefallen ist. In der Zwischenzeit werden Sie binnen einer Stunde Ihr Schiff verlassen. Drüben im Hafenviertel gibt es Gasthöfe.«

»O nein«, explodierte Dilullo. »Nein, das werde ich nicht tun. Ich werde meine Männer zusammenrufen und abfliegen, und der Anblick von Vhol, wie es hinter uns zurückbleibt, wird die schönste Aussicht sein, die wir hier bis jetzt gehabt haben.«

Ein frostiger Unterton war in Thrandirins Stimme zu hören. »Ich bedaure, daß wir Ihnen derzeit keine Starterlaubnis geben können ... wahrscheinlich auch nicht für die nächsten paar Tage.«

Dilullo fühlte den ersten Hauch eines Netzes, das sich um ihn zusammenzog. »Sie haben kein Recht, uns zurückzuhalten, wenn wir Ihr System verlassen wollen, ob Krieg oder nicht.«

»Es geschieht zu Ihrer eigenen Sicherheit«, sagte Thrandirin. »Wir haben gehört, daß eine Schwadron plündernder Sternenwölfe in diesem Raumabschnitt ist und sich hier in der Nähe aufhalten könnte.«

Dilullo war ernstlich beunruhigt. Er hatte Chanes Versicherung, daß seine früheren Kameraden die Suche nach ihm nicht so schnell aufgeben würden, völlig vergessen.

Andererseits benutzte Thrandirin den Alarm wegen der Sternenwölfe offensichtlich als offizielle Ausrede, um ihn hier festzuhalten. Wenn er in das ausdruckslose Gesicht des Vholaners sah, bezweifelte er, daß der Mann sich selbst dann Sorgen machen würde, wenn alle Söldner der Schöpfung in Gefahr wären.

Er dachte blitzschnell nach. Es gab keine Möglichkeit, sich diesem Befehl zu widersetzen, und das Schlimmste, was er jetzt tun konnte, war einen zu großen Wirbel zu veranstalten. Das würde nur ihr Mißtrauen verstärken.

»Na, also gut«, sagte er mißmutig. »Die ganze Angelegenheit ist lächerlich, und unser Schiff wird unbewacht zurückbleiben ...«

»Ich versichere Ihnen«, sagte Thrandirin glatt, »daß Ihr Schiff zu jeder Minute unter strenger Beobachtung stehen wird.«

Das war eine versteckte Drohung, dachte Dilullo, aber er ging nicht darauf ein. Er kehrte ins Schiff zurück, rief die anwesenden Söldner zusammen und erzählte ihnen alles.

»Packt besser ein paar Sachen zusammen«, schloß er. »Wir könnten schon einige Tage auf der Sternenstraße leben müssen.«

Sternenstraße war nicht so sehr ein bestimmter Ort als vielmehr ein Name. Es war der Name, den Sternenmenschen unausweichlich jeder Straße in der Nähe eines Raumhafens gaben, die Vergnügen und Bequemlichkeit bot. Die Sternenstraße von Vhol unterschied sich nicht sehr von den anderen, über die Dilullo schon gegangen war.

Hier gab es Lichter und Musik und zu trinken und zu essen und Frauen. Sie war ein dicht bevölkerter Ort voller Genüsse, aber sie war kein sündiger Ort, denn die meisten Menschen hatten noch nie von jüdisch-christlicher Ethik gehört und wußten überhaupt nicht, daß sie sündigten. Dilullo hatte es nicht leicht damit, seine Männer bei sich zu behalten, während er nach einem Gasthof suchte.

Eine dralle Frau mit blaßgrüner Haut und blitzenden Augen rief ihn aus der offenen Tür ihres Etablissements an, in dem sich Mädchen verschiedener Hautfarben und in mindestens drei unterschiedlichen Gestalten herausputzten. »Die neunundneunzig Freuden weilen hier, o Erdenmänner! Tretet ein!«

Dilullo schüttelte den Kopf. »Ich nicht, Mutter. Ich sehne mich nach der hundertsten Freude.«

»Und was ist die hundertste Freude?«

Dilullo antwortete schlecht gelaunt: »Die Freude, sich ruhig hinzusetzen und ein gutes Buch zu lesen.«

Rutledge brach neben ihm in Gelächter aus, und die Frau begann auf Galakto Flüche zu kreischen.

»Alter!« schrie sie. »Alte, verwelkte Hülle eines Erdenmannes! Tattere weiter deines Wegs, Alterchen!«

Dilullo zuckte mit den Schultern, während ihre Verwünschungen ihnen die laute Straße entlang folgten. »Ich weiß nicht, aber irgendwie hat sie recht. Ich fühle mich ziemlich alt und geistig nicht gerade auf der Höhe.«

Er fand ein Gasthaus, das ziemlich sauber aussah, und mietete einige Räume. Der große Gemeinschaftsraum war dunkel und leer, und der Besitzer war anscheinend ausgegangen, um von den Freuden zu kosten, die Dilullo zurückgewiesen hatte. Er setzte sich mit den anderen hin, bestellte einen vholanischen Brandy und wandte sich dann an Rutledge.

»Du gehst zurück zum Schiff. Die Wachen werden dich wohl

nicht durchlassen, aber warte in seiner Nähe, und wenn unsere Kameraden vom Landurlaub zurückkommen, sag ihnen, wo wir uns aufhalten.«

Rutledge nickte und entfernte sich. Dilullo und die anderen tranken schweigend ihren Brandy.

Dann fragte Bixel: »Und was jetzt, John? Ist dieser Job gelaufen?«

»Noch nicht«, sagte Dilullo.

»Wahrscheinlich hätten wir gar nicht nach Vhol kommen sollen.«

Dilullo war über die Kritik nicht verärgert. Die Söldner waren ein ziemlich demokratischer Haufen, sie gehorchten den Befehlen eines Anführers, aber sie hielten sich auch nicht zurück, wenn es darum ging, ihm zu sagen, daß er ihrer Ansicht nach falsch lag. Und ein Anführer, der zu häufig falsch lag und von zu vielen Jobs mit leeren Händen wiederkam, würde bald große Schwierigkeiten haben, überhaupt noch Männer zu finden, die ihm folgten.

»Es sah so aus, als hätten wir so die besten Chancen«, sagte er. »Wir würden nicht weit kommen, wenn wir uns in den Nebel stürzen und wie in einem gigantischen Heuhaufen nach der berühmten Nadel suchen würden. Wißt ihr, wie viele Parsek der Nebel mißt?«

»Das ist ein Problem«, gab Bixel damit die Untertreibung des Jahrzehnts von sich und ließ das Thema auf sich beruhen.

Nach einer Weile kamen die anderen Söldner herein, die meisten von ihnen ziemlich nüchtern. Sekkinen überbrachte eine Nachricht von Rutledge am Raumhafen.

»Ich soll dir sagen, daß sie einiges Zeug aus diesem Frachter im Militärhafen ausgeladen haben. Er konnte sie durch den Zaun hindurch beobachten. Es waren einige Kisten, und sie haben sie eilig in das Lagerhaus geschleppt.«

»So, so, haben sie das?« sagte Dilullo und fügte hinzu: »Das macht das Ganze sogar noch interessanter.«

Er war froh, als Bollard kam. Trotz seines feisten und schlampigen Aussehens war Bollard bei weitem der fähigste seiner Leute und hatte schon mehr als einmal selbst eine Mannschaft angeführt.

Nachdem Bollard die Neuigkeiten erfahren hatte, dachte er eine Zeitlang nach und sagte dann: »Ich denke, das war's. Ich würde sagen, wir hauen so schnell von Vhol ab, wie wir können, nehmen unsere drei Mondsteine und hoffen auf mehr Glück beim nächsten Job.«

Das war ein gesunder Standpunkt. Da die Vholaner ihnen mißtrauten, würde es furchtbar hart werden, diesen Job durchzuziehen. Es machte schon Sinn, das zu tun, was Bollard vorgeschlagen hatte.

Das Problem war, daß Dilullo es nicht mochte, auf halbem Weg steckenzubleiben. Das Problem war auch, daß Dilullo es sich nicht leisten konnte, auf halbem Weg stecken zu bleiben. Wenn er mit diesem Job auf die Nase fiel, konnte das für ihn das Ende seiner Laufbahn als Anführer der Söldner bedeuten. Er wurde zu alt für den Job. Niemand hatte darüber nachgedacht, weil er einen guten Ruf hatte, aber er selbst hatte darüber nachgedacht. Oft. Vielleicht zu oft. Und er glaubte, daß nur eine solch gepfefferte Pleite wie dieser Job, nötig war, um den anderen klarzumachen, daß er nicht mehr zu gebrauchen war. Sie würden es mit Bedauern sagen. Sie würden darüber reden, wie großartig er in den alten Zeiten gewesen war. Aber sie würden es sagen.

»Paß auf«, sagte er zu Bollard. »Es ist noch nicht alles verloren. Jedenfalls jetzt noch nicht. Na gut, wir können unser Radar nicht benutzen, um unser Ziel ausfindig zu machen. Aber es gibt noch eine andere Möglichkeit. Ein Schiff kam herein und landete auf dem Militärhafen. Ein Frachter, kein Kriegsschiff. Es wäre nicht da gelandet, wenn es nicht um etwas ganz besonders Wichtiges gegangen wäre.«

Bollard runzelte die Stirn. »Ein Nachschubschiff für woran auch immer sie in dem Nebel arbeiten. Sicher. Aber wie hilft uns das weiter?«

»Gar nicht, wenn das Schiff nur Nachschub laden und damit wieder losfliegen würde ... jedenfalls nicht, solange wir ihm dabei nicht folgen können. Aber es hat etwas mitgebracht. Rutledge sah, wie sie einige Kisten ausgeladen und eilig in das Warenlager des Militärhafens gebracht haben.«

»Sprich dich aus«, sagte Bollard und sah ihn mit kalten, fischigen Augen an.

»Wenn wir einen Blick auf den Inhalt werfen könnten... nicht nur einen einfachen Blick, sondern einen Analyse-Scan, um ihn mit den Lagerbestandsspulen auf seine Herkunft hin zu vergleichen... das könnte uns einen Hinweis darauf geben, was sie da draußen machen, und wo.«

»Das könnte es«, sagte Bollard. »Oder auch nicht. Der springende Punkt ist, daß es beinahe unmöglich sein wird, an all den Sicherheitseinrichtungen vorbei in das Lagerhaus hineinzukommen.«

»Beinahe«, sagte Dilullo, »nicht völlig. Meldet sich jemand freiwillig?«

Mit spöttischen Bemerkungen oder finsterem Kopfschütteln ließen sie ihn ihre Antwort wissen.

»Dann wird das alte Söldner-Gesetz angewendet«, sagte Dilullo. »Wenn es keine Freiwilligen für einen Job gibt, dann muß derjenige ihn erledigen, der als letzter die Regeln gebrochen hat.«

Ein strahlendes Lächeln breitete sich auf Bollards Vollmondgesicht aus. »Aber sicher«, sagte er. »Natürlich. Morgan Chane.«

9

Chane lag auf dem Rücken, sah hinauf in den Nebel-Himmel und ließ seine Hand vom Wasser umspülen, während der Gleiter still durch die Kanäle zog.

»Wollen Sie schlafen?« frage Laneeah.

»Nein.«

»Sie haben schrecklich viel getrunken.«

»Ich bin ganz in Ordnung«, versicherte er ihr.

Er war ganz in Ordnung, aber immer noch sehr auf der Hut. Yorolin hatte nichts weiter unternommen, als weiterzutrinken und überaus freigebig und leutselig zu werden, aber dieser eine Blick in seine Gedanken, den ihm das Pyam ermöglicht hatte, war genug gewesen.

Sie waren weiter durch den Vergnügungspark spaziert, und Yorolin hatte vorgeschlagen, sich etwas anzusehen, was er als das ›Füttern der Goldenen‹ bezeichnete. Chane vermutete, daß es sich dabei um Meerestiere handelte und daß die Fütterung ein regelmäßiges Ereignis war. Er wußte nicht, was am Füttern von Fischen Spaß machen sollte, und es war ihm gelungen, Laneeah von den anderen zu trennen und sie zu einer Segeltour um die Inseln zu überreden. Yorolin hatte nichts dagegen gehabt, und Chane hatte diesen Umstand verdächtig gefunden.

»Wie lange werden Sie auf Vhol sein, Chane?«

»Das ist schwer zu sagen.«

»Aber«, sagte Laneeah, »wenn Sie nichts weiter wollen als Waffen zu verkaufen, dann werden Sie nicht lange bleiben, oder?«

»Ich werde Ihnen etwas verraten«, sagte Chane. »Wir sind noch aus einem anderen Grund nach Vhol gekommen. Aber vielleicht sollte ich Ihnen besser nichts darüber sagen.«

Sie beugte sich mit plötzlichem Interesse vor, die Silhouette ihres klargeschnittenen Gesichts zeichnete sich vor dem glühenden Nebel ab.

»Worum geht es bei dieser anderen Sache, die Sie noch hier erledigen wollen?« fragte sie. »Sie können es mir ruhig sagen.«

»Also gut«, sagte er. »Ich erzähle es Ihnen. Wir sind hier, um . . . wunderschöne Frauen in den Arm zu nehmen, wo immer wir sie finden.«

Und er umarmte sie und zog sie zu sich herunter.

Laneeah kreischte auf. »Sie brechen mir das *Rückgrat!*« Lachend lockerte er seinen Griff ein wenig, und sie rückte von ihm ab. »Sind alle Erdenmenschen so stark wie Sie?«

»Nein«, sagte Chane. »Man könnte sagen, daß ich etwas Besonderes bin.«

»Etwas Besonderes?« sagte sie verächtlich und versetzte ihm

eine Ohrfeige. »Sie sind wie alle Erdenmenschen. Abstoßend. Furchtbar abstoßend.«

»Sie werden sich daran gewöhnen«, sagte er und hielt sie weiter fest.

Der Gleiter passierte die äußersten Inseln, und die offene See lag wie zerknittertes Silberpapier unter dem schimmernden Himmel. Von den Lichtern hinten auf den Vergnügungsinseln her kamen Fetzen rhythmischer Musik.

Ein entferntes ›Pffft‹ war aus Richtung der Küste zu hören, und einen Moment später platschte es dumpf irgendwo in der Nähe des Seglers. Das Geräusch wiederholte sich, und plötzlich sprang Laneeah entsetzt auf.

»Sie haben mit der Fütterung der Goldenen begonnen!« schrie sie.

»Dann werden wir die wohl versäumen«, entgegnete Chane.

»Sie verstehen nicht . . . wir sind hinausgetrieben in den Fütterungsbereich. Sehen Sie . . .!«

Chane hörte wieder das ›Pffft‹, und dann sah er, daß eine große dunkle Masse von der Vergnügungsinsel wegkatapultiert worden war. Sie landete nicht weit von ihrem Gleiter im Wasser, und während sie dort trieb, sah er, daß sie aus einem dunklen, faserigen Material bestand.

»Wenn uns etwas davon trifft, wird es uns nicht verletzen«, begann er, aber Laneeah unterbrach ihn, indem sie zu kreischen begann.

Die See neben dem Segler schien wild zu kochen. Das leichte Fahrzeug schaukelte und kippte hin und her, und dann hörten sie das brüllende, prasselnde Geräusch aufgewühlten Wassers.

Ein riesengroßer gelber Kopf brach durch die Oberfläche. Er hatte einen Durchmesser von mindestens drei Metern, war kuppelförmig und feuchtglänzend. Er öffnete ein enormes Maul und schnappte nach dem faserigen Futterbrocken. Dann kaute er geräuschvoll und sah sie dabei mit Augen an, die groß und rund und unsagbar dumm waren.

Chane sah, daß im ganzen Gebiet weitere Köpfe gierig durch die Wasseroberfläche brachen. Gigantische goldene Körper mit seltsamen, armähnlichen Flossen, Körper, gegen die ein Wal wie eine Sprotte gewirkt hätte, peitschten durch das Wasser und schossen an die Oberfläche, als die Geschöpfe sich gierig auf die Brocken des Faserfutters stürzten, die weiterhin von der Küste kamen.

Laneeah schrie immer noch. Jetzt sah Chane, daß sich die Kreatur, die ihnen am nächsten war und ihre Ration verschlungen hatte, geradewegs auf sie zubewegte. Es war nur zu offensichtlich, daß die große, hirnlose Bestie den Gleiter für eine ungewöhnlich große Portion hielt und danach gierte, sie zu verschlingen.

Chane ergriff das Notpaddel, das auf dem Boden des Gleiters lag, und schlug mit all seiner Kraft auf den nassen, gewölbten Kopf ein.

»Starten Sie den Motor und bringen Sie uns hier weg«, schrie er Laneeah zu, ohne sich umzudrehen.

Er hob das Paddel, um erneut zuzuschlagen. Aber der Goldene griff nicht an, sondern öffnete sein riesiges Maul und stieß ein donnerndes Brüllen aus.

Chane brach in Gelächter aus. Offensichtlich war diesem Seeungeheuer noch niemals in seinem Leben weh getan worden, und es brüllte wie ein Baby, das eins hintendrauf bekommen hatte.

Chane drehte sich noch immer lachend um und fuhr Laneeah an: »Verdammt, hören Sie auf zu schreien, und fahren Sie los.«

Sie hatte ihn durch das infernalische Brüllen unmöglich verstehen können, aber ihn so lachen zu sehen, schien sie aus ihrer Hysterie zu reißen. Sie startete den kleinen Motor, und das Boot glitt davon.

Das kleine Fahrzeug schaukelte, stieg und schlingerte über die Wellen, die die Goldenen produzierten. Noch zweimal verwechselte eines der Geschöpfe sie mit etwas Eßbarem und steuerte auf sie zu, und jedesmal schwang Chane das Paddel. Er schien richtig vermutet zu haben, daß niemals zuvor irgend jemand oder irgend etwas gewagt hatte, sich an diesen Kolossen zu vergreifen. Denn obwohl die Schläge ihnen sicherlich keine allzu großen Schmerzen bereitet haben konnten, schienen Überraschung und Schreck sie völlig zu verwirren.

Sie erreichten die Vergnügungsinsel, und Yorolin und die anderen liefen auf sie zu. Laneeah zeigte, immer noch weinend, anklagend auf Chane.

»Er hat *gelacht!*«

Yorolin rief aus: »Sie hätten getötet werden können. Wie haben Sie nur da hinaustreiben können?«

Chane zog es vor, nicht näher darauf einzugehen. Er sagte zu Laneeah: »Es tut mir leid. Es war nur die dümmliche Überraschung dieses Dings, über die ich so lachen mußte.«

Yorolin schüttelte den Kopf. »Sie sind anders als jeder Erdenmensch, den ich bisher getroffen habe. Sie haben so etwas Wildes an sich.«

Chane wollte nicht, daß Yorolin diesen Gedanken weiterverfolgte, und sagte: »Darauf sollten wir noch einen trinken.«

Sie tranken noch einen, und noch ein paar mehr als diesen einen, und als sie Chane schließlich am Raumhafen absetzten, waren sie eine recht geräuschvolle Gesellschaft. Laneeah hatte ihm mittlerweile zumindest teilweise, vielleicht aber auch völlig vergeben.

Rutledge fing Chane ab, bevor dieser das Schiff erreichte.

»Nett von dir, dich auch mal wieder blicken zu lassen«, sagte er. »Ich hänge hier schon seit Stunden rum und warte auf dich, obwohl mir das natürlich überhaupt nichts ausmacht.«

»Was ist passiert?« fragte Chane.

Rutledge erzählte ihm alles, während sie die Sternenstraße entlang gingen, die immer noch in voller Beleuchtung erstrahlte und von wilden, rauhen Liedern durchzogen wurde. Rutledge verabschiedete sich bei einer Bar, um die Langeweile der letzten Stunden zu ertränken, und Chane ging weiter zum Gasthof.

Er traf Dilullo allein an, der, mit einem halbvollen Glas Brandy vor sich, im Gemeinschaftsraum saß.

Fr sagte: »Deine Sternenwolf-Freunde sind immer noch hinter dir her, Chane.«

Chane hörte zu und nickte dann. »Das überrascht mich nicht. Ssander hatte zwei Brüder in dem Geschwader. Sie werden erst nach Varna zurückkehren, wenn sie meine Leiche gesehen haben.«

Dilullo sah ihn nachdenklich an. »Das scheint dir keine großen Sorgen zu machen.«

Chane lächelte. »Varnier machen sich keine Gedanken. Wenn du auf deinen Feind triffst, dann versuch ihn zu töten und hoffe, daß dir das gelingt, aber sich vorher Gedanken zu machen, hilft nichts.«

»Prima«, sagte Dilullo. »Aber ich mache mir Gedanken. Ich mache mir Gedanken darüber, auf Varniern zu stoßen. Ich mache mir Gedanken über diese Vholaner und darüber, was sie wohl als nächstes vorhaben. Sie mißtrauen uns ganz entschieden.«

Chane nickte und erzählte ihm von Yorolin und dem Pyam. Er fügte mit einem Achselzucken hinzu: »Wenn der Auftrag danebengeht, geht er halt daneben. Dazu kommt noch, daß mir die Vholaner eine ganze Ecke lieber sind als die Kharaler.«

Dilullo sah ihn scharf an. »Mir auch. Eine ganze Ecke lieber. Aber es geht um mehr als das.«

»Und um was?«

»Um zwei Dinge. Wenn ein Söldner einen Job annimmt, dann bleibt er loyal. Das andere ist, daß diese liebenswürdigen Vholaner einen Eroberungskrieg gegen Kharal führen.«

»Dann erobern sie Kharal eben . . . ist das denn so schrecklich?« fragte Chane lächelnd.

»Vielleicht nicht für einen Sternenwolf. Aber ein Erdenmensch sieht das etwas anders«, sagte Dilullo. Er trank seinen Brandy und fuhr langsam fort: »Ich will dir mal was sagen. Ihr Varnier haltet Raubzüge und Eroberungen für ein Vergnügen. Andere Sternenwelten — viele von ihnen — sehen in Eroberungen eine gute und gerechte Sache. Aber es gibt eine Welt, die Eroberungen überhaupt nicht mag, sie ist so ruhig und friedlich. Und das ist die Erde.«

Er setzte sein Glas ab. »Weißt du, warum das so ist, Chane? Das ist so, weil die Erde über Tausende von Jahren eine Welt des Krieges und der Eroberung war. Unsere Völker haben mehr über das Kämpfen vergessen, als irgendeiner von euch je lernen wird. Wir haben für eine lange, lange Zeit bis zum Hals in

Eroberungsfeldzügen gesteckt, und deswegen können wir mit so was jetzt nichts mehr anfangen.«

Chane schwieg. Dilullo fuhr fort: »Ach, warum unterhalte ich mich mit dir überhaupt darüber? Du bist jung und falsch erzogen worden. Ich bin nicht mehr jung, und ich würde dem Himmel danken, wenn ich wieder zurück in Brindisi wäre.«

»Das ist ein Ort auf der Erde?« fragte Chane.

Dilullo nickte trübsinnig. »Er liegt am Meer, und am Morgen kannst du die Sonne aus den Nebeln der Adria aufsteigen sehen. Es ist wunderschön dort, und es ist Zuhause. Das einzige Problem ist, daß man dort verhungern kann.«

Chane sagte nach einer kurzen Pause: »Ich erinnere mich noch an die Gegend, aus der meine Eltern kamen. Sie hieß Wales.«

»Ich bin mal dort gewesen«, sagte Dilullo. »Dunkle Berge, dunkle Täler. Menschen, die wie Engel singen und großherzige Freunde sind, bis du sie verärgerst, und dann werden sie zu Wildkatzen. Vielleicht hast du von daher genauso viel mitbekommen wie von Varna.«

Nach einer Weile sagte Chane: »Nun, im Moment ist die Situation ziemlich verfahren. Wir haben nichts herausgefunden, sie haben nichts herausgefunden. Und was geschieht als nächstes?«

»Morgen«, sagte Dilullo, »werde ich ein großes und überzeugendes Theater aus dem Versuch machen, diesen Leuten Waffen zu verkaufen.«

»Und was ist mit mir?«

»Du?« sagte Dilullo. »Du, mein Freund, wirst herausfinden, wie du das Unmögliche möglich machst, und mach es schnell, sauber und ohne dabei gesehen oder gar geschnappt zu werden.«

»Mhmm«, sagte Chane, »damit werde ich wohl ein oder zwei Stunden beschäftigt sein. Und was mache ich danach?«

»Dich hinsetzen und dein Ego polieren.« Dilullo schob Chane die Brandyflasche zu. »Mach's dir bequem. Wir müssen uns über einiges unterhalten. Über das Unmögliche.« Als er fertig war, sah Chane ihn beinahe entsetzt an. »Um das auszubaldowern, könnte ich sogar drei Stunden brauchen. Du setzt eine Menge Vertrauen in mich, Dilullo.«

Dilullo bleckte die Zähne. »Das ist der einzige Grund, aus dem du noch am Leben bist«, sagte er. »Und es wird dir genau so leid tun wie dem Rest von uns, wenn du mich enttäuschst.«

10

In der nächsten Nacht lag Chane im Gras direkt vor dem Militärraumhafen und studierte dessen Lichter. In der einen Hand hielt er ein zwei Meter langes, zusammengerolltes, feines Tuch von unbestimmbarer Farbe. Seine andere Hand griff fest nach einem Lederband, das um den Hals eines Snokks geschnallt war.

Der Snokk war wütend und verängstigt zugleich. Diese Tiere ähnelten einem pelzigen Wallaby oder einem kleinen Känguruh. Aber ihre Charaktereigenschaften ähnelten eher denen von Hunden, und sie liefen glücklich in kleinen Meuten in einigen Teilen der Stadt herum. Dieser hier war gar nicht glücklich, denn an seinem Halsband war eine lederne Kapuze befestigt, die seinen Kopf vollständig einhüllte. Er versuchte immer wieder, seine kräftigen Hinterfüße in den Grund zu stemmen und davonzustürmen, aber Chane hielt ihn fest.

»Bald«, flüsterte er ihm zu, »sehr bald.«

Der Snokk antwortete mit einem grollenden Gebell, das von der Kapuze wirkungsvoll verschluckt wurde.

Chane hatte seine Hausaufgaben gut gemacht. Nun schaute er auf den zylindrischen Tower, der sich aus dem Hauptgebäude erhob. Hier befand sich der Ringprojektor, und bei Tag hatte er die Suchscheinwerfer, die jetzt allerdings abgeschaltet waren, um ihn herum gesehen.

Er begann vorwärts zu kriechen und zerrte dabei den widerspenstigen Snokk mich sich. Jeder einzelne seiner Muskeln war angespannt. Jeden Moment würde er den Rand des ringförmigen Kraftfeldes erreichen, das das gesamte Militärgebiet vor Eindringlingen schützen sollte. Wenn er es durchquerte, würde alles sehr schnell gehen.

Er kroch weiter, langsam, aber jederzeit zu einem Blitzstart bereit. Der Snokk machte zunehmend Schwierigkeiten, aber er zerrte ihn gnadenlos mit. Er konnte die Lichter und die drohend aufragenden Schatten der großen Raumschiffe auf dem Hafengelände erkennen, Kriegsschiffe mit grimmig aussehenden, geschlossenen Waffenluken an den Seiten. Er konnte das niedrige Gebäude des Lagers ausmachen.

Es geschah in dem Moment, in dem Chane es erwartete. Ein scharfer Alarm schrillte über den Hafen, und die Suchscheinwerfer flammten auf. Ihre Lichtfinger schwangen blitzschnell in seine Richtung.

Diese Finger, die von Computern aktiviert und gesteuert wurden, bewegten sich schnell. Aber seine auf Varna geborenen Reaktionen gaben Chane einen kleinen Vorsprung. Er handelte, sobald der Alarm aufschrillte, mit aller verfügbaren Schnelligkeit.

Seine rechte Hand riß Kapuze und Halsband vom Kopf des Snokks. Mit der gleichen Bewegung warf er sich flach auf den Boden, zog das tarnfarbene Tuch über sich und blieb bewegungslos liegen.

Der befreite Snokk lief in großen Sprüngen quer über das Hafengelände davon und stieß aufgebracht ein heulendes Gebell aus. Zwei Suchstrahlen hefteten sich sofort an das Tier, während die anderen weiterhin ein kompliziertes mathematisches Muster webten, mit dem dieser gesamte Bereich des Hafens abgedeckt werden sollte.

Chane lag ganz still und versuchte, wie ein kleiner Hügel im Gelände auszusehen.

Er hörte einen schnellen Gleiter auf das Hafengelände kommen und in seiner Nähe anhalten und er hörte das wütende Bellen des davonlaufenden Snokk.

Jemand aus dem Gleiter fluchte lautstark, und ein anderer lachte. Dann fuhr das Fahrzeug in die gleiche Richtung davon, aus der es gekommen war.

Die Scheinwerfer suchten noch eine Weile die Gegend ab und erloschen dann wieder.

Chane blieb still unter seinem Tuch liegen. Drei Minuten später gingen die Scheinwerfer unvermittelt wieder an und schweiften erneut über das ganze Gebiet. Dann wurden sie wieder abgeschaltet.

Erst jetzt kam Chane unter seinem Tuch hervor. Er grinste, während er es zusammenrollte.

»Ein Sternenwolf-Kind würde da hineinkommen«, hatte er zu Dilullo gesagt, als er seine Sondierungen abgeschlossen hatte. Aber damit hatte er schon ein bißchen geprahlt, und bis jetzt hatte er auch nur diesen ersten Schritt geschafft; der restliche Job würde absolut kein Kinderspiel mehr sein.

Er arbeitete sich langsam in Richtung auf das Lagerhaus vor, blieb dabei so weit wie möglich im Schatten und benutzte sein Tarntuch immer dann, wenn er innehielt, um zu lauschen. Das Lagerhaus, ein Metallgebäude mit einem flachen Dach, schien nicht bewacht zu sein, aber wenn es etwas Wichtiges beherbergte, waren mit Sicherheit einige ausgeklügelte Anlagen installiert, die einen Eindringling aufspüren sollten.

Es dauerte noch fast eine Stunde, bis Chane schließlich im Innern des dunklen Lagerhauses stand. Er war über das Dach hereingekommen, wobei er zuerst mit Hilfe von Sensoren eine Stelle ausfindig gemacht hatte, an der keine Alarmanlagen installiert waren, und dann mit Hilfe eines getarnten Energie-Strahlers ein rundes Loch aus der Wandung geschnitten hatte. Wenn er das ausgeschnittene Stück wieder einsetzte und festschweißte, wenn er ging, würde es eine ganze Weile dauern, bis sie es entdeckten.

Er nahm seine Taschenlampe zur Hand und schaltete ihr schwaches Licht ein. Als erstes sah er, daß die Kisten, die der Frachter gebracht hatte, ausgepackt waren. Drei Gegenstände standen auf einem langen Tapeziertisch neben den Kisten. Chane starrte sie an. Er ging um den Tisch herum, um sie von allen Seiten zu begutachten. Dann schüttelte er den Kopf.

Er hatte es in seinem Leben mit so mancher exotischen Beute zu tun bekommen. Er hatte geglaubt, daß er die Funktion eines jeden Stücks, das auch nur entfernt wie ein Artefakt aussah, und das Material, aus dem es gefertigt war, bestimmen oder zumindest erraten konnte.

Diese drei Objekte machten sich über ihn lustig.

Sie waren alle aus der gleichen Substanz gefertigt, die entfernt an mattes, hartes Gold erinnerte, die aber nichts wirklich ähnlich sah, was er jemals gesehen hatte. Ihre Formen unterschieden sich stark. Eines war ein flaches, gerilltes Band, das sich fast einen Meter hoch wie eine Schlange aufbäumte. Ein anderes war eine Ansammlung von neun kleinen Kugeln, die durch kurze, dünne Stangen fest miteinander verbunden waren. Das dritte war ein stumpfer, unten breiter und dicker Kegel ohne jede Öffnung oder Verzierung. Sie waren schön genug, um Schmuckgegenstände zu sein, aber irgendwie wußte er instinktiv, daß sie das nicht waren. Er konnte sich keinen Reim darauf machen, welchem Zweck sie dienten.

Immer noch kopfschüttelnd erinnerte er sich daran, daß er nicht die ganze Nacht lang Zeit hatte. Chane nahm aus seiner Gürteltasche eine Minikamera und ein kleines, aber ausgeklügeltes Instrument, das Dilullo ihm gegeben hatte, ein tragbares Analysegerät, das mit seinen neugierigen Strahlen in den Molekülen einer Substanz herumstocherte und sondierte und dann eine ziemlich zutreffende Auflistung der einzelnen Bestandteile ausgab. Da es so klein war, hatte es nur begrenzte Einsatzmöglichkeiten, aber innerhalb dieser Grenzen war es wirklich sehr nützlich. Chane richtete seine Sensorzellen auf die Basis des spiralförmigen goldenen Bandes und schaltete es ein, dann machte er mit der Minikamera schnell eine Reihe von Schnappschüssen.

Der stumpfe Zylinder verdeckte einen Teil des Kugelgebildes. Er streckte die Hand aus und bewegte ihn zur Seite ... das Metall fühlte sich satinweich an, kalt und überraschend leicht. Er beugte sich darüber, um den winzigen Kamerablitz auf die kleinen Kugeln richten zu können. Plötzlich erstarrte er.

Ein wisperndes Geräusch erklang in dem dunklen Lagerhaus.

Er wirbelte auf dem Absatz herum, seine Hand fuhr zum Betäubungsstrahler in seiner Jacke, der Strahl seiner Taschenlampe durchsuchte jede Ecke. Aber da waren nur diese rätselhaften goldenen Objekte und einige Stapel regulärer Schiffsfracht.

Nichts weiter. Und niemand sonst.

Das flüsternde Geräusch wurde ein wenig lauter. Es war, als ob irgend etwas oder irgend jemand versuchte, in gehauchtem Flüsterton zu sprechen. Jetzt konnte Chane seinen Ursprung erkennen. Es kam von dem Kegel!

Er trat von dem Ding zurück. Es stand da im Licht seiner Taschenlampe, leuchtend und ruhig. Aber das hauchende Flüstern aus seinem Innern wurde immer lauter.

Nun ging ein Licht von dem Kegel aus, so als ob es das feste Metall durchdringen würde. Es war kein gewöhnliches Licht, sondern vielmehr eine sich windende Ranke einer sanft glühenden Flamme. Es wand sich immer höher hinauf, endlos aus dem Kegel quellend, bis es als ein mehrere Meter hoher Kranz vor ihm aufragte.

Plötzlich, ohne Vorwarnung, explodierte der Lichterkranz zu Millionen winzig kleiner Sterne.

Die flüsternde Stimme schwoll an. Die kleinen Sterne schwebten in Schauern herab. Sie waren nicht einfach bloße Funken oder Lichtpunkte, jeder von ihnen war anders, jeder wie ein richtiger Stern, der unvorstellbar klein geraten war.

Sie wirbelten und schwebten um Chane herum, aber er konnte ihre Berührungen nicht spüren. Rote Riesen und weiße Zwerge, rauchige orangefarbene Sonnen und bösartig glühende Quasare, und ihre Vollkommenheit war so absolut, daß Chane für einen Moment völlig die Orientierung verlor. Sie schienen richtige Sterne zu sein, und er war ein Riese, der mitten in dieser Kaskade wirbelnder Sonnen stand.

Die murmelnde Stimme wurde noch immer lauter, und nun konnte er fremde, unregelmäßige Rhythmen aus ihr heraus hören.

Irgend etwas oder irgend jemand, der sang?

Plötzlich wurde sich Chane der Gefahr bewußt, in der er schwebte. Wenn es hier eine Alarmanlage gab, die auf Geräusche reagierte, dann könnte diese von den Vorgängen ausgelöst werden.

Er griff nach dem Kegel, um nach einem Schalter zu suchen. Doch noch bevor seine Hand ihn richtig berührt hatte, verschwanden die wirbelnden Sterne um ihn herum, und das Flüstern verstummte.

Er stand da, noch ein wenig aufgewühlt von dem Erlebten, aber er verstand nun. Dieser anscheinend solide Kegel war ein Gerät, das audiovisuelle Aufnahmen wiedergab und durch das bloße Annähern der Hand ein- und wieder ausgeschaltet wurde.

Aber wer oder was hatte diese Aufnahmen gemacht?

Nach einem Augenblick untersuchte Chane vorsichtig auch die anderen beiden goldfarbenen Objekte, die geriffelte Spirale und das Kugelgebilde. Aber kein Wedeln mit der Hand entlockte ihnen irgendeine Reaktion.

Er dachte nach. Es war offensichtlich, daß die Vholaner, die diese Dinger hergebracht hatten, sie nicht hergestellt hatten. Aber wer war es dann gewesen? Ein Volk im Innern des Nebels? Eines, das unbekannte Technologien beherrschte? Wenn das so war ...

Er hörte ein leises, klickendes Geräusch von der Tür.

Augenblicklich erstarrte Chane. Es gab also wirklich eine auf Geräusche reagierende Alarmanlage hier drinnen. Wachen waren gekommen und öffneten nun vorsichtig das Kombinationsschloß an der Tür.

Chane überlegt schnell. Er rannte zu dem goldenen Kegel und strich mit er Hand darüber. Wieder erklang das flüsternde Geräusch, und wieder stieg der Lichterkranz auf. Chane stopfte während seines Rückzugs den Analysator und die Kamera in seinen Beutel.

Die Tür klickte wieder leise. Chane sprang in eine der Ecken des Raumes und duckte sich hinter einige Lagerkisten.

In der Dunkelheit explodierte der Lichterkranz über dem Kegel abermals in winzige Sterne, und das Flüstern schwoll an.

Die Tür öffnete sich.

Zwei behelmte vholanische Wächter mit tödlichen Laserwaffen in der Hand kamen herein, bereit, sofort loszufeuern. Aber für eine Sekunde wurden ihre Augen von den erstaunlichen Sternenkaskaden abgelenkt.

Chanes Lähmstrahler summte auf und ließ sie zu Boden stürzen.

Ihm blieben nur einige Minuten, bis die Wachen vermißt würden. Für seinen Plan, den Raumhafen wieder zu verlassen, benötigte er viel mehr als diese paar Minuten.

Ein Grinsen lief über sein Gesicht, und er dachte, *zum Teufel mit schlauen Plänen. Mach es nach Sternenwolf-Art.*

Der kleine Gleiter der Wachen stand gleich draußen vor dem Lagerhaus. Chane nahm einer der bewußtlosen Wachen den Helm ab und setzte ihn auf. Das würde erst einmal die Tatsache verbergen, daß sein Haar nicht so albinoweiß war wie das der Vholaner, und es würde sein Gesicht verbergen. Die Jacke des Wächters verdeckte seine nicht-vholanische Kleidung.

Er sprang auf den Fahrersitz des Gleiters, startete ihn und raste auf das Haupttor des Militärraumhafens zu.

Die Suchscheinwerfer des Towers flammten auf und hefteten sich an ihn. Er winkte wild mit seinem freien Arm, als er auf das Tor zufuhr, und schrie auf die Wachen dort ein. Er kannte kaum ein vholanisches Wort, und so beschränkte er sich auf ein unartikuliertes Schreien, in der Hoffnung, daß ihn durch das Schrillen der Sirenen ohnehin niemand verstehen würde. Er zeigte aufgeregt nach vorne und brachte den Gleiter auf Höchstgeschwindigkeit. Die Wächter sprangen aufgeschreckt und erregt zur Seite, und Chane fuhr lachend in die Dunkelheit hinaus. Das war die alte varnische Art: Sei so schlau und trickreich, wie du kannst, aber wenn du mit Schlauheit nicht weiterkommst, dann brich durch, bevor die Leute zu sich kommen. Er und Ssander hatten es viele Male so gemacht.

Für einen kurzen Moment bedauerte er, daß Ssander tot war.

11

»Sie haben mich nicht gesehen«, sagte Chane, »nicht deutlich genug, um mich als Nicht-Vholaner zu erkennen. Garantiert nicht. Sie haben mich überhaupt nicht gesehen.«

Dilullos Gesicht erschien sehr hart im Lampenlicht, die Linien tief eingeschnitten wie mit einem Messer in dunkles Holz.

»Was hast du mit dem Gleiter gemacht?«

»Einen einsamen Strand gefunden, ein Stück aufs Wasser hinausgebracht und versenkt.« Chane sah Dilullo an und registrierte erstaunt, daß er dabei war, sich zu entschuldigen. »Es war dieser verdammte Kegel, dieses Recorder-Dings. Ich hatte keine Chance, herauszufinden, was es war, und es aktivierte sich selbst, als ich mit meiner Hand in seine Nähe kam.« Er bemerkte, daß Dilullo ihn ziemlich merkwürdig ansah, und beeilte sich fortzufahren. »Mach dir keine Sorgen. Ich bin über das Dach reingekommen. Niemand hat mich gesehen. Warum sollten sie uns verdächtigen? Offensichtlich müssen einige ihrer Leute überaus neugierig sein, sonst hätten sie nicht so strenge Sicherheitsmaßnahmen. Sollte es keine Diebe auf Vhol geben, wäre dies der ungewöhnlichste Planet der ganzen Galaxis.«

Er warf seine Gürteltasche auf Dilullos Schoß. »Ich habe jedenfalls bekommen, was ich wollte. Es ist alles hier drin.« Er setzte sich und bediente sich aus Dilullos Brandy-Flasche. Die Flasche, bemerkte er, hatte eine schwere Niederlage erlitten, aber Dilullo war kalt und nüchtern wie eine Betonwand.

»Wie dem auch sei«, sagte Dilullo, »ich denke, es ist an der Zeit, Vhol Lebewohl zu sagen.« Er legte die Gürteltasche zur Seite. »Das muß warten, bis wir das Tech-Labor an Bord zur Verfügung haben.«

Er beugte sich vor und blickte Chane an. »Was war denn so merkwürdig an diesen Dingern?«

»Das Metall, aus dem sie bestanden. Daß nicht klar ist, wozu sie eigentlich dienen. Und vor allem, daß sie aus einer Region — dem Nebel — kommen, in der keine Welt mit einer Technologie über Stufe zwei zu finden ist.«

Dilullo nickte. »Ich habe mich gefragt, ob du dich daran erinnern würdest. Wir haben auf unserem Flug von Kharal hierher die ganzen Mikrofilm-Datenblätter studiert.«

»Entweder stimmen die Datenblätter nicht, oder irgend etwas anderes. Denn diese Gebilde stammen nicht nur von einer hochstehenden Technologie, sondern auch von einer äußerst fremdartigen.«

Dilullo gab ein Grunzen von sich. Er stand auf und schob eine Ecke des Vorhangs, der das Fenster verdeckte, ein wenig zur Seite. Der neue Tag dämmerte bereits. Chane schaltete die Beleuchtung ab, und ein mattrosa Licht ergoß sich über den kleinen Raum des Gasthofes in der Sternenstraße.

»Könnten es Waffen gewesen sein? Oder Teile von Waffen?«

Chane schüttelte den Kopf. »Das Recorder-Ding mit Sicherheit nicht. Für die beiden anderen kann ich meine Hand natürlich nicht ins Feuer legen, aber es hat sich nicht so angefühlt.« Er meinte das innere Gefühl, das instinktive Erkennen jeder tödlichen Gefahr durch einen erfahrenen Kämpfer.

»Das ist interessant«, sagte Dilullo. »Nebenbei, habe ich dir schon gesagt, daß sich Thrandirin morgen unsere Waren ansehen will, um gegebenenfalls etwas zu kaufen? Leg dich aufs Ohr, Chane. Aber sei schnell wach, wenn ich dich rufe.«

Es war jedoch nicht Dilullo, der ihn weckte. Es war Bollard, der aussah, als hätte er sich gerade erst selbst geweckt — oder möglicherweise kurz davor stand, einzuschlafen.

»Wenn du irgend etwas hast, was du nicht hierlassen willst, nimm's mit — aber nur, wenn du es in die Taschen stecken kannst.« Bollard kratzte sich auf der Brust und gähnte. »Anderenfalls, vergiß es.«

»Ich reise mit leichtem Gepäck.« Chane stieg in seine Schuhe. Sie waren das einzige, was er vor dem Schlafen abgelegt hatte. »Wo ist Dilullo?«

»An Bord gegangen, mit Thrandirin und ein paar Großkopferten. Er will, daß wir nachkommen.«

Chane unterbrach das Schuhanziehen und kreuzte Bollards Blick. Die kleinen Augen hinter diesen dicken rosafarbenen Lidern waren alles andere als schläfrig.

»Ich verstehe«, sagte Chane, drückte die Ferse in den Schuh, indem er einmal damit auf den Boden stampfte, und erhob sich. Er grinste Bollard an. »Dann wollen wir ihn nicht warten lassen.«

»Du willst runtergehen und das den Wachen erklären?« Er grinste seinerseits Chane an, ein fetter, fauler Mann, der sich um nichts in der Welt irgendwelche Gedanken machte. »Sie sind vor und hinter dem Haus postiert, seit letzter Nacht. Ausgangssperre, sagte Thrandirin, zu unserem eigenen Schutz während einer Ausnahmesituation. Irgend etwas ist letzte Nacht passiert, das sie in Aufregung versetzt hat. Er hat nicht gesagt, was. Er erlaubte es nur Machris, dem Waffenexperten, und einem weiteren Mann, Dilullo zum Schiff zu begleiten. Folglich haben wir beinahe eine komplette Mannschaft hier. Aber die Wachen tragen Laser. Wir haben da also ein kleines Problem . . .« Bollard schien einen Moment nachzudenken. »John sagte irgendwas davon, daß du über die Dächer gekommen seist. Kriegen das auch andere, sagen wir mal, Fettsäcke wie ich hin?«

»Ich kann für die Stabilität nicht garantieren«, sagte Chane, »aber wenn du nicht durchbrichst, solltest du eigentlich keine Probleme haben. Es muß allerdings lautlos ablaufen. Diese Gebäude sind nicht besonders hoch, und wenn sie uns hören, stecken wir in größerem Schlamassel als wenn wir sie direkt angegriffen hätten.«

»Versuchen wir's«, sagte Bollard und ging davon, Chane hinter sich lassend, der wünschte, es wäre Nacht.

Aber es war alles andere als Nacht. Es war Mittag, die Sonne von Vhol schien weiß und grell vom Himmel über ihnen und sandte einen Lichtstrahl durch die Falltür herab, als Chane sie vorsichtig öffnete.

Niemand war zu sehen. Chane stieg hindurch und winkte den anderen, ihm zu folgen. Lautlos kamen sie die Leiter herauf, einer nach dem anderen, und gingen, ohne zu rennen, in Abständen leise über das Dach in die Richtung, die Chane ihnen gewiesen hatte.

Unterdessen behielten Chane und Bollard die Straßen unter

ihnen im Auge. Chane übernahm die Allee, denn Bollard hatte das Kommando und bekam deshalb den wichtigeren Posten.

Bewegungslos, als wäre er eine der aus Stein gehauenen Regenrinnenfiguren von Kharal, lugte er hinter einem Schornstein hervor hinunter in die Allee. Die vholanischen Wächter, ein hart aussehender Haufen, standen ruhig und geordnet und ließen sich weder durch die Sonne noch durch das Geschnatter kleiner Jungen, die sie umringten und sie anstarrten, noch durch die Einladungen diverser junger Damen beeindrucken, die ihnen zu sagen schienen, daß sie sich ruhig einen kühlen Drink holen könnten und wieder zurück wären, bevor sie vermißt würden. Chane mochte die vholanischen Wächter absolut nicht. Er zog Männer vor, die ihre Tuniken lockerten und sich mit den Damen zu einem Schwätzchen in den Schatten setzen würden.

Die Söldner waren nicht so gut wie die Varnier, das war niemand, aber sie waren gut genug, und sie kamen davon, ohne die Aufmerksamkeit derer da unten zu wecken. Bollard signalisierte, daß auf seiner Seite alles in Ordnung war. Chane schloß sich ihm an, und sie machten sich auf den Weg zum Raumhafen.

Die Dächer der Sternenstraße waren zweckmäßig, häßlich und glücklicherweise flach. Die Söldner bewegten sich in einer langen, unregelmäßigen Linie darüber, gingen so schnell, wie sie konnten, ohne Laufgeräusche zu erzeugen, die die Bewohner veranlaßt hätten, heraufzukommen und nachzusehen. Die Häuserreihe endete an der Umzäunung des Raumhafens, von diesem durch eine zu den Lagerhäusern führende Straße getrennt. Das Tor war keine dreißig Meter entfernt, und das Söldner-Schiff stand unbewegt vierhundert Meter weiter auf seinem Liege-Platz.

Es sah nach einem sehr langen Weg aus.

Chane atmete tief ein, und Bollard wandte sich leise an die anderen Söldner, alle zusammengekauert auf dem allerletzten Dach: »In Ordnung, sobald wir einmal losgelaufen sind, gibt es kein Halten mehr.« Chane öffnete die Falltür, und sie stiegen in das Gebäude hinab, ohne sich darum zu sorgen, ob sie irgendwelchen Lärm verursachten. Das Gebäude hatte drei Stockwerke. Die Luft in den Gängen war abgestanden und schwer, süßlich mit zuviel Parfüm durchsetzt. Es gab eine Menge Türen, die meisten davon geschlossen. Musik klang von unten herauf.

Sie erreichten das Erdgeschoß, passierten eine Reihe von prunkvoll ausgestatteten Räumen, die sich im Tageslicht, das durch die Vorhänge sickerte, abgetakelt und abgenutzt präsentierten. Die Leute in den Räumen waren von unterschiedlicher Größe, Statur und Farbe, einige machten einen ziemlich merkwürdigen Eindruck, aber Chane hatte nicht die Zeit, exakt zu erkennen, womit sie sich beschäftigten. Er sah nur ihre erschreckten Augen im Halbdunkel auf sich gerichtet. Eine hochgewachsene Frau attackierte sie, bösartig kreischend wie ein gigantischer Papagei. Dann schwang die Vordertür unter dem Läuten sündiger Glocken auf, und sie waren draußen auf der sauberen, heißen Straße.

Sie rannten zum Tor. Und Chane war überrascht, wie schnell Bollard seine fetten Beine bewegen konnte, wenn er es wirklich wollte.

Neben dem Tor war eine Art Pförtnerloge. Der Mann darin sah sie kommen. Chane konnte sehen, wie er sie für eine Zeitspanne, die ihm wie Minuten erschien, anstarrte, als sie sich rasch näherten, und er grinste den Mann an; ein verächtliches Grinsen, das sich über die langsame Reaktion niedriger Lebewesen lustig machte. Er selbst, oder jeder andere Sternenwolf, würde das Tor geschlossen und die Hälfte der anstürmenden Söldner niedergeschossen haben, bevor sich der Alarm durch die Gehirnwindungen des Wachmannes gearbeitet hatte und seine Hand begann, sich auf den Schalter zuzubewegen. In Wirklichkeit lagen zwischen dem auslösenden Reiz und der Reaktion nur wenige Sekunden. Aber sie reichten aus, um Chane in Schlagweite zu bringen. Der Wachmann ging zu Boden. Die Söldner stürzten durch das Tor. Bollard war der letzte von ihnen, und Chane bemerkte, daß Bollard ihn äußerst merkwürdig ansah, als er vorüberrannte. Und erst da kam ihm zu Bewußtsein, daß er im Eifer des Gefechtes vergessen hatte, vorsichtig zu sein, und vor den anderen mit einer für einen normalen Erdenmenschen nahezu unmöglichen Geschwindigkeit hergerast war.

Er fluchte innerlich. Er würde sich mit Sicherheit selbst verraten, wenn er nicht vorsichtiger war, vielleicht hatte er es sogar schon.

Irgend jemand rief: »Da kommen sie!«

Die vholanischen Wächter waren schließlich alarmiert worden. Sie kamen im Laufschritt die Sternenstraße herunter, und in einer Minute, wußte Chane, würden nadeldünne Laserstrahlen zu flirren beginnen. Er hörte Bollards beinahe unbeeindruckten Befehl, sich zu verteilen. Er schlug auf den Knopf und sprang durch das Tor, während es sich zu schließen begann. Bollard fischte gerade irgend etwas aus seiner Gürteltasche, ein Stück Plastiksprengstoff mit einer Zündung nebst Auslöser auf einer magnetischen Platte. Er klatschte den Sprengsatz gegen die Innenseite des Tores, als es an ihm vorbeischwang, gerade über dem Schloß. Dann rannten Chane und Bollard gemeinsam weiter zum Schiff.

Hinter ihnen gab es einen Knall und einen grellen Lichtblitz, eine Sekunde, nachdem sich das Tor geschlossen hatte. »Das hat das Tor und Rahmen zusammengeschmolzen. Sie können es natürlich aufschweißen, aber das wird sie ein paar Minuten kosten. Wo hast du gelernt, so zu laufen?«

»Fels-Springen auf den Asteroiden«, sagte Chane unschuldig. »Tut wahre Wunder für die Koordination. Du solltest es irgendwann mal probieren.«

Bollard grunzte und sparte sich seinen Atem. Das Söldnerschiff schien immer noch Millionen von Kilometern weit entfernt zu sein. Chane war wütend darüber, sich dem Tempo des Söldners anpassen zu müssen, aber er tat es. Schließlich keuchte Bollard: »Warum läufst du nicht vor, wie eben?«

»Zur Hölle«, sagte Chane und tat so, als keuche er ebenfalls unter der Anstrengung, »das schaffe ich auch nur in kurzen Spurts. Ich kann nicht mehr.«

Er keuchte stärker und blickte über die Schulter zurück. Die Wächter hatten das Tor erreicht. Einer von ihnen glitt in die

Pförtnerloge. Chane nahm an, daß er den Schalter drückte, aber nichts passierte. Das Tor blieb geschlossen. Einige der Wächter feuerten durch das Gitter. Das peitschende Zischen und die Blitze der Laser erfüllten die Luft hinter den Söldnern, aber die Entfernung war zu groß für die schwachen Energie-Patronen der Handlaser. Chane dankte dem Glück der Sternenwölfe, daß die Wächter nicht einberechnet hatten, daß sie schwerere Waffen brauchen könnten.

Um das Söldnerschiff zeigte sich bisher kein Lebenszeichen. Wahrscheinlich fühlten sich die Vholaner darin absolut sicher und vertrauten darauf, daß die Besatzung im Gasthof eingesperrt war. Und Dilullo würde schon dafür sorgen, daß die Vorführung an einem Ort stattfand, an dem die Besucher nicht durch Geräusche von außen gestört werden konnten. Wie dem auch sei, es hätte eine Wache . . .

Und da war sie auch. Zwei uniformierte Vholaner kamen aus der Schleuse, um nachzusehen, was los war. Sie sahen es, aber da war es bereits zu spät. Die Söldner betäubten sie mit ihren Strahlern.

Der Gleiter, mit dem Dilullo und die vholanischen Beamten gekommen waren, parkte neben der Einstiegstreppe. Bollard befahl den Männern, an Bord zu gehen, und bewegte sich zu Chane hinüber. Zusammen verfrachteten sie die bewußtlosen Wachen in den Gleiter, starteten ihn und schickten ihn ohne Fahrer zurück zum Zaun. Die Wächter des Gasthofes hatten sich inzwischen ihren Weg durch das Tor freigeschnitten.

Bollard nickte. »Das lief ja alles ganz gut«, sagte er.

Sie kletterten die Stufen hinauf in die Schleuse. Die Warnsirene heulte, und das ›Schleuse freimachen‹-Schild blinkte rot. Dilullo hatte keine Zeit verloren. Die innere Schleusentür klappte zu und versiegelte sich unmittelbar hinter Chanes Rockschößen.

Besatzungsmitglieder, die für den Flug eingeteilt waren, liefen auf ihre Stationen. Chane ging mit Bollard auf die Brücke.

Die war ziemlich gut besucht — alles mit einer Ausnahme Söldner, und alles mit einer Ausnahme bester Laune. Die Ausnahme hieß Thrandirin. Dilullo stand mit ihm vor der Kamera des Videosystems, damit es keinen Zweifel geben konnte, wenn die Botschaft ausgestrahlt wurde.

Dilullo sprach gerade in den Kommunikator. »Stellt das Feuer ein«, sagte er. »Wir starten gleich, also räumt den Platz. Und vergeßt es, uns abfangen zu wollen. Thrandirin und die beiden Offiziere werden wohlbehalten nach Vhol zurückkehren, wenn ihr tut, was ich sage. Sollte aber irgend jemand auch nur einen Stein nach uns werfen, sterben sie.«

Chane hörte die Worte kaum. Er sah den Ausdruck auf Thrandirins breitem, autoritärem Gesicht, und was er sah, bereitete ihm ein diebisches Vergnügen.

Die Startraketen erwachten dröhnend zum Leben, knurrten, brüllten, kreischten und stießen das Söldnerschiff in den Himmel. Und niemand warf auch nur einen Stein nach ihnen, als es abhob.

12

Das Söldnerschiff hing am Rande des Nebels, eingehüllt in schimmerndes Leuchten.

Dilullo saß mit Bollard in der Messe und studierte zum hundertsten Mal die Fotos und Analyse-Ergebnisse der Objekte aus dem Lagerhaus.

»Du wirst sie mit deinen Blicken noch ausbleichen«, sagte Bollard. »Sie werden dir nicht mehr sagen, als sie es bereits getan haben.«

»Mit anderen Worten: nichts«, sagte Dilullo. »Oder weniger als nichts. Die Fotos sind sauber und scharf. Ich sehe diese Dinge, also weiß ich, daß sie existieren. Dann kommt das Analyseergebnis daher und erzählt mir, daß sie es nicht tun.«

Er warf eine kleine Plastikscheibe auf den Tisch. Sie war leer und unschuldig wie an dem Tag, als sie produziert wurde. Null Aufzeichnungen.

»Chane hat den Analysator nicht richtig bedient, John. Die Sensoren falsch angeschlossen oder vergessen, ihn einzuschalten.«

»Glaubst du das wirklich?«

»Wie ich Chane kenne, nein. Aber ich muß irgendwas glauben, und der Fehler liegt nicht beim Analysator. Den haben wir überprüft.«

»Und überprüft und überprüft.«

»Also muß es Chane sein.«

Dilullo zuckte die Schultern. »Das ist die logischste Erklärung.«

»Gibt es noch eine andere?«

»Aber sicher. Diese Dinger sind aus einem Material, für das der Analysator nicht programmiert wurde, was bedeutet, daß es nicht in unserem Periodischen System der Elemente enthalten ist. Aber wir wissen, daß das lächerlich ist, oder?«

»Natürlich wissen wir das«, sagte Bollard zögernd.

Dilullo stand auf, ergriff eine Flasche und setzte sich wieder. »Wir kommen so einfach nicht weiter«, sagte er. »Hol Thrandirin und die beiden Generäle her. Und Chane.«

»Warum ihn?«

»Weil er die Dinger gesehen hat. Sie angefaßt hat. Eins eingeschaltet hat. Es . . . singen gehört hat.«

Bollard schnaubte. »Chane ist schnell, und er ist gut, aber ich würde ihm nicht weiter trauen, als er mich werfen kann.«

»Ich auch nicht«, sagte Dilullo. »Also hol ihn.«

Bollard ging. Dilullo legte sein Kinn in die Hände und starrte auf die Diskette und die Fotos. Jenseits der Hülle glühten die blassen Feuer des Nebels durch die Unendlichkeit . . . endlose Parsek der Unendlichkeit in drei Dimensionen.

Oben im Navigationsraum las sich Bixel zum drittenmal durch die gleichen Mikrobücher aus der Schiffsbibliothek, trank ungezählte Tassen Kaffee und hielt Wache am Radarschirm, der ebenso hartnäckig leer blieb wie die Diskette des Analysators.

Bollard kehrte mit Chane, Thrandirin und den beiden Generälen, Markolin und Tatichin, zurück. Die Namensendung ›in‹ hatte Bedeutung auf Whol; sie schien Mitglieder einer bestimmten Familie zu kennzeichnen, die vor langer Zeit an die Macht gekommen war und immer noch mit bewundernswerter Hingabe an ihr hing. Sie waren in großer Zahl in Ministerien, im militärischen und Raumfahrt-Bereich vertreten und es gewohnt, Befehle zu erteilen. Was sie nicht gerade zu geduldigen Gefangenen machte.

Thrandirin eröffnete das Spiel, wie immer, mit seiner ›Wie-lange-wollen-Sie-diesen-Unfug-noch-durchziehen‹-Eröffnung. Dilullo antwortete wie immer, mit der ›Solange-bis-ich-bekomme-was-ich-will‹-Parade. Woraufhin ihm alle drei erklärten, dies sei unmöglich, und verlangten, nach Hause gebracht zu werden.

Dilullo nickte grinsend. »Da wir das nun hinter uns gebracht haben, können wir uns vielleicht hinsetzen und einen Drink oder zwei zu uns nehmen und dabei über das Wetter plaudern.«

Er ließ Flasche und Gläser an dem schäbigen Tisch herumgehen. Die Vholaner nahmen den Likör steif entgegen und saßen da wie drei mit hellen Tuniken drapierte Marmorstatuen. Einzig ihre Augen waren lebendig, erstaunlich blau und glänzend.

Thrandirins Augen ruhten kurz auf den Fotos, die vor Dilullo lagen, und sahen dann wieder weg.

»Nein«, sagte Dilullo. »Weiter, schauen Sie sie an.« Er reichte ihm die Fotos. »Und das auch.« Er gab ihm die Scheibe. »Sie haben sie schon gesehen. Es gibt keinen Grund, so zurückhaltend zu sein.«

Thrandirin schüttelte den Kopf. »Ich kann nur wiederholen, was ich bereits gesagt habe. Wenn ich mehr über diese Objekte wüßte als Sie, würde ich es Ihnen nicht sagen. Aber ich weiß nichts. Ich habe sie im Lagerhaus gesehen, das ist alles. Ich bin kein Wissenschaftler, ich bin kein Techniker, und ich bin an dieser Aktion nicht direkt beteiligt.«

»Obwohl Sie ein Regierungsvertreter sind«, sagte Dilullo. »Ein ziemlich hohes Tier sogar. Wichtig genug, um über Waffen zu feilschen.«

Thrandirin schwieg dazu.

»Es fällt mir schwer zu glauben, daß Sie nicht wissen, wo diese Dinger herkommen«, sagte Dilullo sanft.

Thrandirin hob die Schultern. »Ich weiß nicht, warum Ihnen das schwerfällt. Sie haben uns mit Hilfe Ihres modernsten Lügendetektors befragt, und das sollte beweisen, daß wir nichts wissen.«

Brüsk, als würde es einen alten wunden Punkt berühren, sagte Thrandirin: »Nur sechs Männer wissen über dieses Ding Bescheid: unser Herrscher, sein oberster Minister, der Kriegsminister und die Navigatoren, die die Schiffe in den Nebel bringen. Nicht einmal die Kapitäne kennen den Kurs, und die Navigatoren stehen unter ständiger Bewachung — sowohl im Raum als auch auf Vhol.«

»Dann muß es sich um etwas von immenser Wichtigkeit handeln«, sagte Dilullo. Die drei Marmor-Statuen starrten ihn mit harten blauen Augen an und schwiegen. »Die Kharaler befragten Yorolin unter einer Droge, gegen die es keinen Widerstand gibt. Er erzählte ihnen, daß Vhol draußen im Nebel eine Waffe habe, etwas, das imstande ist, sie von der Oberfläche ihrer Welt hinwegzufegen.«

Die harten blauen Augen blitzten dabei kurz auf, aber die Vholaner schienen nicht besonders überrascht zu sein.

»Wir hatten angenommen, daß sie das getan haben«, sagte Thrandirin, »obwohl sich Yorolin an nichts erinnern konnte, abgesehen davon, daß die Kharaler ihn unter Drogen gesetzt haben. Niemand kann unter Einfluß dieser Droge lügen, das stimmt. Aber er kann auch nur das erzählen, was in seinem Gedächtnis gespeichert ist, nicht mehr und nicht weniger. Yorolin glaubte das, was er sagte. Aber das heißt nicht notwendigerweise, daß dem auch so ist.«

Jetzt wurde Dilullos Blick streng und sein Gesicht hart wie eine stählerne Falle. »Ihre eigenen nicht lügenden Gedächtnisse haben mir gesagt, daß Sie das auch gehört haben und daß Sie in der Tat vorhaben, Kharal zu erobern. Da wir das jetzt abgeklärt haben, ist es da nicht merkwürdig, daß Sie Waffen von uns kaufen wollen? Gewöhnliche, schwache, konventionelle, kleine Waffen, auch wenn sie besser als Ihre eigenen sind, während in diesem Nebel eine Super-Waffe darauf wartet, von Ihnen eingesetzt zu werden?«

»Also wirklich, diese Frage haben wir Ihnen doch schon beantwortet«, sagte Thrandirin.

»Aber natürlich. Sie sagten, die Waffen würden dazu gebraucht, die Sicherheit des Nebels zu gewährleisten. Das macht doch nicht viel Sinn, oder?«

»Ich fürchte, ich kann Ihrer Argumentationsschiene nicht folgen, und ich genieße Ihre Gesellschaft ganz bestimmt nicht.« Thrandirin erhob sich, und mit ihm die Generäle. »Ich bereue es von ganzem Herzen, daß wir Sie nicht gleich festgenommen haben, als Sie gelandet sind. Ich unterschätzte Ihre . . .«

»Frechheit?« fragte Dilullo. »Kaltblütigkeit? Ganz normale dumme Tollkühnheit?«

Thrandirin zuckte die Schultern. »Ich konnte nicht glauben, daß Sie so offen von Kharal nach Vhol kommen würden, wenn

Sie tatsächlich für die Kharaler arbeiteten. Und dann war da natürlich noch Yorolin... wir wußten, daß die Kharaler ihn niemals freiwillig hätten gehen lassen, und die Tatsache, daß Sie ihm geholfen haben, schien Ihre Geschichte zu bestätigen. Es gab sogar einige Diskussionen darüber...«, an dieser Stelle blickte er Markolin kalt an, »... Sie für uns gegen Kharal anzuheuern. Sie waren sehr geschickt, Kapitän Dilullo. Ich hoffe, Sie genießen Ihren Triumph. Aber ich warne Sie nochmals. Sogar wenn Sie finden sollten, was Sie suchen, man hat per Sub-Spektrum-Übertragung von Vhol längst Alarm gegeben. Sie werden Sie erwarten.«

»Sie? Schwere Kreuzer, Thrandirin? Wie viele? Einer? Zwei? Drei?«

Markolin sagte: »Er kann es Ihnen nicht sagen, ich auch nicht. Sie können aber versichert sein, daß die Truppe ausreicht zum Schutz unserer... Anlagen.« Das Zögern vor dem letzten Wort war so kurz, daß es kaum wahrgenommen werden konnte. »Und ich kann Ihnen auch versichern, daß unsere Leben nicht genug wert sind, um sich damit dort Ihre Sicherheit zu erkaufen.«

»So ist es«, sagte Thrandirin. »Und jetzt würden wir es vorziehen, in unsere eigenen Quartiere zurückzukehren, wenn Sie gestatten.«

»Aber natürlich«, sagte Dilullo. »Nein, bleib hier, Bollard.« Er sprach kurz über das Interkom des Schiffes, und einen Moment später erschien ein Mann, der die Vholaner wegbrachte. Dilullo wandte sich um und blickte Chane und Bollard an.

»Sie wollten unsere Waffen kaufen, und sie haben darüber nachgedacht, uns gegen die Kharaler anzuheuern.«

»Ich habe es gehört«, sagte Bollard. »Ich finde nichts Merkwürdiges daran. Es bedeutet nur, daß ihre Wunderwaffe noch nicht einsatzbereit ist und daß das wohl auch noch eine geraume Zeit so bleibt, also sichern sie sich ab.«

Dilullo nickte. »Klingt vernünftig. Was meinst du, Chane?«

»Ich meine, Bollard hat recht. Nur...«

»Nur was?«

»Nun«, sagte Chane, »dieses Recorder-Ding im Lagerhaus. Wenn sie da draußen im Nebel eine Waffe bauen, halten sie sich bestimmt nicht damit auf, Audio-Videorecorder zu konstruieren – und außerdem war es kein vholanisches Artefakt.« Chane schwieg einen Moment. Da spukte noch etwas in seinem Hirn herum, und er wartete, bis ihm klarer wurde, was es war. »Davon abgesehen, was soll diese ganze Geheimnistuerei? Strenge Sicherheitsvorkehrungen natürlich, das verstehe ich ja. Und ich kann auch verstehen, daß sie befürchten, die Kharaler würden jemanden in den Nebel schicken, wie sie es ja auch getan haben, um zu versuchen, diese Waffe in die Hände zu bekommen oder zu vernichten. Aber sie sind so verängstigt, daß sie es nicht einmal wagen, Männer wie Thrandirin und die Generäle wissen zu lassen, wo diese Dinger herkamen oder was sie sind.« Chane zeigte auf die Fotos der drei goldenen Objekte. »Eines dieser Dinger macht merkwürdige Musik und läßt Sterne erscheinen, aber es ist nicht mehr als eine Art holografischer Videorecorder. Und was ist so verflucht geheim daran? Das ergibt alles überhaupt keinen Sinn für mich.«

Dilullo sah Bollard an, der den Kopf schüttelte. »Ich habe diesen sternsprühenden Recorder nicht gesehen, kann also weder ja noch nein sagen. Warum läßt du es nicht raus und sagst, was du auf dem Herzen hast, John?«

Dilullo nahm die kleine leere Analysator-Diskette auf. »Ich beginne zu ahnen«, sagte er, »daß dies hier weitaus wichtiger ist als alles, was Vhol Kharal antut oder umgekehrt. Ich denke, den Vholanern ist etwas richtig Großes in die Hände gefallen, genau ... etwas so Großes, daß es ihnen Todesangst einjagt. Weil«, fügte er zögernd hinzu, »ich nicht glaube, daß sie darüber, was immer es ist, oder wie es zu bedienen ist, mehr wissen als wir.«

Für längere Zeit herrschte Stille. Schließlich sagte Bollard: »Könntest du das ein bißchen genauer erklären?«

Dilullo schüttelte den Kopf. »Nein. Weil ich herumrate und sich nur ein Narr von wilden Spekulationen leiten läßt. Der einzige Weg, mehr herauszufinden, ist, das Ding zu finden und es uns mit eigenen Augen anzusehen. Und ich beginne zu glauben, daß die Vholaner recht haben, wenn sie sagen, daß uns das niemals gelingt.«

Er aktivierte das Interkom zum Navigationsraum. »Starte eine Rastersuche, Finney. Stell sie so ein, daß sie den Rand des Nebels so weit wie möglich abdeckt, ohne irgendwelche Löcher zu lassen. Das Versorgungsschiff muß irgendwann von Vhol kommen, und alles, was wir brauchen, ist ein bißchen Glück.«

Die Stimme von Finney, dem Navigator, antwortete triefend vor Sarkasmus: »Aber sicher, John, nur ein winzig kleines bißchen Glück.«

Jetzt war das Söldnerschiff unterwegs, eine winzige Spinne, die ein feines, zartes Netz zwischen den brennenden Klippen des Nebels spann, und jeder an Bord wußte, wie groß ihre Chance war, die winzige Fliege, auf die sie es abgesehen hatte, zu fangen. Besonders, wenn die Fliege ausreichend vorgewarnt war.

Chane hatte jedes Zeitgefühl verloren, und Dilullo war der festen Überzeugung, daß bereits viel zu viel Zeit vergangen war, als Bixel von seinem Radarschirm aufsah und im Ton äußersten Unglaubens sagte: »Ich habe einen Blip.«

Dilullo empfand einen Moment lang triumphierende Freude. Doch die hielt nicht lange an, denn Bixel sagte: »Ich habe noch einen. Und noch einen. Zur Hölle, das ist ein ganzes Rudel.« Dilullo beugte sich über den Radarschirm, und eine Vorahnung griff eiskalt nach seinem Herzen.

»Sie haben den Kurs geändert«, sagte Bixel. »Sie kommen geradewegs auf uns zu und nähern sich schnell. Verdammt schnell.«

Bollard hatte sich in den kleinen Raum gezwängt und linste über die Schultern der beiden anderen. »Das sind keine Versorgungsschiffe. Könnte eine Schwadron vholanischer Kreuzer sein... falls sie sich entschieden haben, sich nicht um das Leben ihrer Freunde zu scheren.«

Dilullo schüttelte düster den Kopf. »Es gibt nur eine Art von Schiffen, die so klein ist, in einer Formation fliegt und mit einer solchen Geschwindigkeit. Ich denke, Thrandirin hat wohl doch nicht gelogen, was die Sternenwölfe betrifft.«

13

Chane bemerkte die Veränderung ihrer Lage erst, als das Signal für Roten Alarm über das Interkom des Schiffes heulte, gefolgt von einer plötzlichen Beschleunigung, die die Elemente des Schiffes aufkreischen ließ und Chane hart gegen ein Schott warf. Er hatte sich in einer der Kabinen ausgestreckt, halb schlafend, aber nur halb, und sogar diese Hälfte war eine großartige Leistung für ihn. Er haßte es zu warten. Er haßte es, im luftleeren Raum zu hängen und darauf zu warten, daß jemand anders die Entscheidungen traf.

Intelligenz und der Instinkt fürs Überleben hatten ihm geraten, sich in Geduld zu üben, da er im Augenblick keine andere Wahl hatte. Aber sein Körper fand es schwierig zu gehorchen. Er war es nicht gewohnt, untätig zu sein. Ein lebenslanges Training hatte ihn gelehrt, daß es von der Untätigkeit zum Tod nur ein Schritt war, ein Zustand nur für niedrigere Rassen, die dazu bestimmt waren, Beute zu sein. Ein Varnier kämpfte mit Leib und Seele, und wenn der Kampf vorüber war, genoß er die Früchte des Kampfes in gleicher Intensität, bis es wieder an der Zeit war, erneut in den Kampf zu ziehen. Chanes Metabolismus rebellierte gegen das Warten.

Der Alarm und das plötzliche Durchstarten des Schiffes waren wie eine unerwartete Entlassung aus dem Gefängnis.

Er sprang auf und ging in den Hauptgang. Männer liefen, wie es aussah, in wildem Chaos herum, aber Chane wußte, daß dem nicht so war, und nach wenigen Sekunden war jeder auf seiner Station, und das Schiff lag ruhig da. In einer bebenden, atemholenden Stille, der Stille einer ganz anderen Art des Wartens.

Chane hatte keinen festen Posten. Er ging weiter zur Brücke.

Dilullos Stimme kam schneidend über das Interkom im ganzen Schiff.

»Ich habe eine kleine schlechte Nachricht für euch«, sagte er. »Wir haben eine Schwadron Sternenwölfe am Hals.«

Chane erstarrte mitten auf dem Hauptgang zu Eis.

Dilullos Stimme schien einen persönlichen Unterton in sich zu tragen, einen warnenden Unterton, als sie fortfuhr: »Ich wiederhole, wir werden von einer Schwadron Sternenwölfe verfolgt.« *Er meint mich*, dachte Chane. *So, und da wären wir. Sie haben mich gefunden, Ssanders Brüder und der Rest.*

Dilullos Stimme fuhr fort: »Ich führe Ausweichmanöver durch. Wir kämpfen, wenn wir dazu gezwungen werden, aber ich gedenke mein Möglichstes zu tun, uns aus dem Staub zu machen. Bereitet euch also auf maximale Belastung vor.«

Will heißen, ich werde keine Zeit haben, euch vor plötzlichen Richtungs- oder Geschwindigkeitsänderungen zu warnen. Bleibt ruhig und hofft, daß das Schiff das aushält.

Chane stand im Hauptgang, sein Körper angespannt, sein Geist arbeitete rasend.

Er war wahrscheinlich schon in schlimmeren Situationen gewesen, aber im Moment konnte er sich gerade an keine erinnern. Sollten die Söldner irgendwie Verdacht schöpfen, was seine Herkunft anging, würden sie ihn töten, lange bevor Ssanders Brüder ihn überhaupt erreichen konnten. Und wenn sie ihm nicht auf die Schliche kamen, würde er eben sterben, sobald die Sternenwolf-Schwadron sie erwischte.

Denn sie würden sie erwischen. Niemand entkam den Sternenwölfen. Niemand war schneller, niemand konnte den wahnsinnigen Andruck plötzlicher Beschleunigung aushalten, den die Sternenwölfe ertrugen, wenn sie ihre kleinen Schiffe in unmenschlichen Geschwindigkeiten manövrierten. Das war es, was sie im Raum unschlagbar machte.

Das Söldnerschiff wurde kreischend auf einen tangentialen Kurs herumgerissen. Es schien Chane, als könne er spüren, wie sich das Schott unter seiner Hand verbog. Er fühlte, wie sein Blut pulsierte, heftig und heiß. Er richtete sich auf, als sich das Schiff wieder beruhigte, und setzte seinen Weg zur Brücke fort.

Es war dunkel dort, abgesehen von den verdeckten Lichtern der Instrumentenpaneele. Dunkel genug, daß das rotgoldene Feuer des Nebels den Raum ausfüllen konnte, das durch das vordere Sichtfenster hereinsickerte. Eine Illusion natürlich, das Sichtfenster war jetzt ein Bildschirm, und der Nebel, den er zeigte, war nicht der echte, sondern ein FTL-Stimulus-Simulcrum. Die Illusion war gut genug. Dilullos Kopf und Schultern zeichneten sich gegen das Feuerglimmen ab, und das Schiff tauchte durch rollende, kreisende Wolken kalten Feuers. Die Sonnen, die mit ihrem Licht die Gase des Nebels entzündeten, flogen vorbei wie fortgeworfene Kohlen.

Dilullo sah auf, sah Chanes Gesicht im Halbdunkel und fragte: »Was zum Teufel machst du hier?«

»Ich werde unruhig, wenn ich nur herumsitze«, sagte Chane mit gepreßter, ruhiger Stimme. »Ich dachte, ich könnte vielleicht helfen.«

Der Ko-Pilot, ein hagerer, dunkler, harmlos aussehender Mann namens Gomez, sagte gereizt: »Schaff ihn raus hier, John. Ich kann keinen asteroidenhüpfenden Piloten gebrauchen, der mir im Nacken hängt. Nicht jetzt.«

Dilullo sagte: »Haltet euch fest.«

Chane griff nach einem der Stützträger. Wieder kreischte und ächzte das Schiff. Das Metall schnitt in Chanes Fleisch, und wieder glaubte er spüren zu können, wie es sich verbog. Das Bild auf dem Schirm verschwamm zu einem chaotischen Durcheinander rasender Punkte. Dann stabilisierte es sich, und sie fielen eine unermeßlich lange Rutsche zwischen Feuerwällen herunter, und Gomez sagte: »Noch einmal, John, und du brichst ihr die Knochen.«

»In Ordnung, noch einmal«, sagte Dilullo, »und los geht's.«

Chane hörte nicht nur das Schiff aufschreien. Die Männer begannen unter dem Andruck zusammenzusacken. Gomez versank in seinem Stuhl. Blut spritzte aus seiner Nase und lief ihm in dunklen Rinnsalen über Mund und Kinn. Dilullo stieß einen tiefen Seufzer aus, als ihm die Luft aus den Lungen gepreßt wurde. Er schien auf das Kontrollpult zu sinken, und Chane griff nach vorne, um das Schiff zu übernehmen, zog sich aber zurück, als Dilullo sich selbst dazu zwang, sich aufzurichten, mit offenem Mund und wild nach Luft schnappend, die er unter Aufbietung aller Willenskraft und Entschlossenheit in seine Lungen pumpte. Auf der anderen Seite der Brücke hing ein Mann seitlich in seinen Sicherheitsgurten und bewegte sich nicht. Unbeobachtet grinste Chane ein sardonisches Grinsen, klammerte sich an seinen Stahlträger und atmete gleichmäßig gegen den Druck der lähmenden Hand an, die vergebens versuchte, ihn zu zermalmen.

Dann fragte er sich, worüber er eigentlich grinste. Diese Härte, auf die er so stolz war, war dabei, ihm zum Verhängnis zu werden. Die Söldner konnten es nicht mit ihr aufnehmen, also würden die Sternenwölfe gewinnen.

Er fragte sich, ob sie wußten, daß er an Bord des Söldnerschiffes war. Er wußte nicht, wie sie es herausgefunden haben könnten. Aber sie mußten seine Fährte bis nach Corvus verfolgt haben, und das war genug. Sie würden den ganzen Sektor auf den Kopf stellen, bis sie ihn gefunden hatten oder sicher sein konnten, daß er tot war.

Chane grinste erneut, als er darüber nachdachte, daß Dilullo wohl seinen tollen Einfall bereute, seinen zahmen Sternenwolf am Leben zu lassen. Das Ganze war Dilullos Idee gewesen, und Chane konnte sogar eine gewisse grausame Freude darüber empfinden, was sie ihm eingebracht hatte.

Er wußte, daß Dilullo dasselbe denken mußte. Nur einmal sah Dilullo sich um, und als ihre Blicke sich trafen, dachte Chane: *Er würde mich jetzt an sie ausliefern, wenn er könnte, wenn er seine Männer dadurch retten könnte. Aber er weiß, daß es das nicht würde. Die Varnier könnten diese Männer nicht am Leben lassen, weil sie nicht wüßten, was ich ihnen möglicherweise erzählt habe. Sie würden sie schon allein deshalb nicht am Leben lassen, weil sie mir geholfen haben.*

Das Schiff schlingerte und schwankte, wurde langsamer. Der Bildschirm flackerte, erlosch, wurde wieder zu einem Fenster zum normalen Weltraum. Sie glitten unter den Bauch einer großen orangefarbenen Sonne, verborgen und verhüllt von ihren feurigen Wolken.

Nach einer Minute fragte Dilullo: »Bixel?« Und gleich darauf nochmals: »Bixel!«

Bixels Stimme kam schwach aus dem Navigationsraum. Er klang, als würde er Blut aus seiner Nase einziehen. »Ich kann nichts sehen«, sagte er. »Ich glaube...« Er würgte und keuchte und setzte erneut an: »Ich glaube, du hast sie abgeschüttelt.«

»Zum Glück«, brummte Gomez, während er sich säuberte. »Noch einmal, und du hättest *meine* Knochen gebrochen.«

Chane sagte: »Sie werden kommen.« Er sah, daß Gomez und einige der anderen sich zu ihm herumdrehten und ihn anstarrten, täuschte Schwäche vor und ließ sich an der Strebe hinunter neben Dilullo zu Boden sinken. »Sie wissen, daß wir nicht soviel aushalten können wie sie. Sie wissen, daß wir stoppen müssen.«

»Und was macht dich zum Experten für Sternenwölfe?« fragte Gomez. Nicht mißtrauisch. Nur um einem Angeber das Maul zu stopfen. Chane ließ sich gegen den Pfeiler sinken und schloß die Augen. »Man muß kein Experte sein«, sagte er, »um darauf zu kommen.«

Und wie oft habe ich das schon getan, dachte er. *Ein Schiff beobachtet, wie es flüchtend davonraste, Haken schlug und die Besatzung darin beinahe ums Leben brachte. Und wir haben sie beobachtet, sind ihnen gefolgt und haben gewartet, bis sie am Ende ihrer Kräfte waren. Und jetzt bin ich auf der anderen Seite . . .*

Bixel meldete sich über Interkom: »Sie sind hier.«

Die Schiffe der Sternenwölfe fielen in den normalen Raum und hinterließen ihre hellen kleinen Blips wie plötzlich aufflammende Funken auf dem Bildschirm. Noch weit weg. Zu weit, um gesehen zu werden. Aber sich dem Nullpunkt nähernd.

Chanes Hand zuckte, um die Kontrollen von Dilullo zu übernehmen, aber er hielt sie zurück. Es war sowieso zwecklos. Das Söldner-Schiff war nicht belastbarer als die Männer, die es gebaut hatten.

»Koordinaten!« sagte Dilullo, und Bixels müde Stimme antwortete: »Kommen sofort.«

Der Computer neben dem Kopiloten-Sitz begann zu arbeiten. Gomez las die Daten, die er ausgab. Chane wußte, was er sagen würde, und wartete, bis er es tat.

»Sie bilden eine Kugel um uns herum.«

Ja. Formation aufbrechen und sich wie fliegende Lichtsplitter

blitzschnell um die ausgelaugte Beute verteilen. Sie rundum ein-
schließen, sie kampfunfähig machen, die Kugel zusammenzie-
hen und zuschlagen.

»Was zum Teufel wollen die von uns?« brüllte Bollards
Stimme aus dem Maschinenraum.

Einen Moment herrschte Stille, bevor Dilullo sagte: »Vielleicht uns einfach nur töten. Das ist bei Tieren normal.«

»Das glaube ich nicht«, sagte Chane und dachte: *Ich weiß es*
verdammt gut. »Dann hätten sie uns schon beim ersten Kontakt
auseinandergenommen. Ich glaube eher, das ist ein Enterkom-
mando. Möglicherweise haben sie . . . etwas von dem Ding im
Nebel gewittert. Vielleicht denken sie, wir wissen mehr.«

»Schutzschilde hoch«, sagte Dilullo.

Bollards Stimme antwortete. »Schilde sind hoch, John. Aber
sie werden sie knacken. Es sind zu viele.«

»Ich weiß.« Dilullo wandte sich an Gomez. »Gibt es irgendein
Loch in ihrer Kugel?«

»Keins, das sie nicht, lange bevor wir da wären, schließen
könnten.«

Bixels Stimme klang heiser und angespannt, als er sagte:
»John, sie kommen rasend schnell näher.«

Dilullo sagte ruhig: »Hat irgend jemand irgendeinen Vor-
schlag zu machen?«

Chane antwortete: »Überrascht sie.«

»Der Experte wieder«, sagte Gomez. »Vorwärts, John, über-
rasch sie.«

Dilullo sagte: »Ich höre, Chane.«

»Sie glauben, wir sind geschlagen. Auch um darauf zu kommen, muß ich kein Experte sein. Sie sind stärker als normale
Menschen, sie vertrauen darauf, und sie vertrauen darauf, daß
sich die anderen hilflos fühlen und aufgeben. Wenn du sie
plötzlich und direkt angreifst, könntest du einen Durchbruch
schaffen — und du solltest es besser schnell tun, bevor sie dir
das Heck wegschießen.«

Dilullo überlegte. Seine Hände schwebten über dem Kontrollpult. »Du weißt, daß die Schilde nicht lange halten werden. Wir sind kein schwerer Kreuzer.«

»Sie brauchen auch nicht lange zu halten, wenn du schnell genug bist.«

»Ich könnte einige meiner Männer dabei umbringen.«

»Du bist der Kapitän«, sagte Chane. »Du hast gefragt. Ich antworte nur. Aber sie werden auf jeden Fall sterben, wenn die Sternenwölfe euch in die Finger kriegen. Möglicherweise nicht ganz so sauber.«

»Ja«, sagte Dilullo. »Ich nehme an, um darauf zu kommen, muß man auch kein Experte sein. Volle Kraft, Bollard. Drücken wir uns die Daumen.« Er legte seine Hände auf die Tasten.

An den Träger geklammert, spürte Chane, wie der Andruck ihn packte, sein Rückgrat in den Stahl preßte. Die Konstruktion des Schiffes stöhnte um ihn herum, zitterte, bebte, schwankte. Er dachte: *Es bricht auseinander!* und erwartete angespannt das Pfeifen, mit dem die Luft durch zerfetzte Platten entwich, und den Anblick des Nebels über sich, bevor er starb. Durch die Sichtscheibe konnte er erkennen, wie die feurigen Schleier vorbeistoben, von ihrem voranstürmenden Bug aufgepeitscht wie Küstennebel. Irgend etwas traf sie. Das Schiff ruckte und rollte. Elektrische Entladungen blitzten bläulich auf der Brücke auf, und es roch nach Ozon. Aber die Schilde hielten. Das Schiff raste weiter, gewann an Geschwindigkeit. Schreckliche Schreie von Männern in Todesangst waren zu hören. Chane behielt Dilullo im Auge. Ein zweiter Treffer. Bollards Stimme, undeutlich und erstickt, sagte: »Ich weiß nicht, John. Vielleicht noch einmal.«

»Bete für zweimal«, sagte Dilullo.

Jetzt war etwas vor ihnen, dunkel und massiv in der sie umgebenden Glutröte. Ein Sternenwolf-Kreuzer, der herankam, um sie aufzuhalten.

»Sie reagieren schneller als wir«, sagte Dilullo mit merkwürdiger, halblachender Stimme, und raste direkt auf den Kreuzer zu.

Chane stand jetzt vorgebeugt, sein Magen verkrampfte sich, und sein Blut pochte herrlich in seinen Adern. Er wollte schreien: »*Weiter so, macht es auf Sternenwolf-Art! Vorwärts, denn sie rechnen nicht damit, daß ihr die Kraft oder den Mut*

habt, es zu tun. Laßt ihn ausweichen, laßt ihn den Weg frei-
geben!«

Die nächsten beiden Treffer erwischten sie von vorne. Chane konnte sie kommen sehen, Knospen der Vernichtung, ausgesandt von dem Sternenwolf-Schiff, um sich an ihrem Schild zu voller Blüte zu entfalten. Er konnte sich den Menschen vorstellen, der dieses Schiff kommandierte . . . Mensch, ja, menschlich schon, aber fremdartig, geformt von Varnas wilder Umwelt zu einem Wunder an Kraft und Schnelligkeit in einem seidig glänzenden Fell . . . das Gesicht ausgeprägt knochig, flache Wangen, lächelnd, die langen schrägen Augen katzenartig leuchtend vor Aufregung bei der Jagd. Er würde denken: »Es sind bloß Menschen, keine Var-nier. Sie werden umkehren. Sie werden abdrehen.«

Irgend jemand brüllte Dilullo an: »Dreh ab, du krachst mit ihm zusammen!« Mehrere Männer brüllten. Der kleine Kreuzer schien ihnen entgegenzuspringen, geradewegs auf die augen-brauenförmige Brücke und das Sichtfenster zu. Die Schreie erreichten den Gipfel der Hysterie und fielen hinab in eine hyp-notisierte Stille. Dilullo hielt Kurs und Geschwindigkeit so unverändert bei, daß sich Chane fragte, ob er überhaupt noch am Leben war. Der Sternenwolf-Kreuzer war jetzt so nah, daß er dachte, beinahe die Gestalt des Piloten hinter der gebogenen Luke ausmachen zu können. Er schmeckte etwas in seinem Mund, etwas, das nach Kupfer schmeckte, und er wußte, das es Angst war.

Er glaubte das Gesicht des Sternenwolf-Piloten zu sehen, wie die Züge an Härte verloren, zu Unglauben wurden, zu verspäte-tem Verstehen . . .

In einem plötzlichen Ausweichmanöver, das jedes andere Lebewesen getötet hätte, schoß der Kreuzer zur Seite. Chane wartete auf das kreischende Knirschen eines Seiteneinschlages, aber er kam nicht.

Sie hatten die Kugel durchbrochen und waren frei.

Das Sichtfenster erlosch, als sie in Sprunggeschwindigkeit übergingen, und wurde wieder zum Bildschirm. Dilullo lehnte sich in seinem Sitz zurück und sah Chane an. Sein hartes Gesicht wirkte im Feuerschein wie zerbrochen, mit dunklen

Flecken in den Vertiefungen und trübem Weiß über den Knochen.

»Atempause«, sagte er. »Sie werden wiederkommen.« Seine Stimme klang rauh und schrill, seine Lungen kämpften um Sauerstoff.

»Aber du lebst«, sagte Chane. »Nur wenn du tot bist, hast du keine Chance mehr.« Er starrte Dilullo an und schüttelte den Kopf. »Ich habe noch nie eine bessere Aktion gesehen.«

»Und das wirst du auch nie mehr«, sagte Dilullo, »bis ich dich umbringe.«

Er fiel halb aus dem Stuhl, sah nach Gomez, schüttelte ihn und wies mit dem Daumen auf die Kontrollen. »Übernimm, solange ich die Schäden aufnehme.«

Chane nahm im Pilotensitz Platz. Das Schiff war langsam und schwerfällig unter seinen Händen, aber es tat gut, endlich wieder irgendeine Art von Schiff zu spüren. Er ließ es tiefer in den Nebel eintauchen, sich durch die dichteren Wolken schlängeln, durch die es möglicherweise ein wenig schwieriger zu verfolgen war. Dilullo kam zurück und übernahm die Steuerung wieder, bis Gomez ihn ablösen konnte. Ein Mann war tot, und es hatte vier Fälle für die Krankenstation gegeben, einschließlich General Markolin. Keiner außer Morgan Chane war in guter Verfassung.

Im Herzen einer parseklangen Feuerschlange, die sich um ein Dutzend Sonnen wand, fielen sie zurück in den normalen Raum.

Bixel, der sich etwas ausgeruht und sein Nasenbluten zum Stillstand gebracht hatte, saß am Radarschirm und beobachtete die Anzeigen. Die Männer schliefen. Sogar Dilullo schlief, ausgestreckt auf einer Bank auf der Brücke. Chane döste, während die Zeit in einer Art schleppender Benommenheit dahinkroch ... soviel Zeit, daß Chane zu hoffen begann, daß die Jäger aufgegeben hatten.

Aber es war nur eine Hoffnung, und sie schwand, als Bixel den Alarmknopf drückte und über das Interkom brüllte: »Da sind sie wieder.«

Nun gut, dachte Chane, *es war zumindest ein guter Versuch. Ein verdammt guter Versuch.*

14

Die hellen, erbarmungslosen kleinen Funken flogen zügig quer über den Radarschirm. Dilullo sah sie an, ein kaltes, dumpfes, unwohles Gefühl. in der Magengrube. Verdammt sollten sie sein. Verdammt Morgan Chane und seine eigene Cleverneß, ihn lebendig zu halten. Wenn er ihn nicht dabehalten hätte . . .

Wäre er in genau demselben Schlamassel, sagte sich Dilullo. Niemand hatte je davon gehört, daß das Wolfspack eine viel-versprechende Beute aus den Klauen gelassen hatte, und ein Söldnerschiff konnte alles transportieren . . . wie, sagen wir mal, ein Vermögen in Mondsteinen für die Lohntüten.

Und trotzdem . . .

Er sah durch den Türrahmen zu Chane hinüber, der still auf der Brücke saß, und überlegte, was wohl geschehen würde, wenn er ihn aus einer der Ladeluken fallen ließe, im Rauman-zug und an eine Signalboje gefesselt.

Sein Blick kehrte zurück zu den Funken, die auf ihn zurasten, und mit einemmal spürte er Wut. Soviel Wut, daß es ihn durch-rüttelte und das kalte flaue Gefühl im Magen wie weggebrannt war. Verdammt sollten diese arroganten Sternenwolfwelpen sein. Er würde nichts und niemanden ausliefern. Nicht, weil er wußte, daß es sie sowieso nicht aufhalten würde, sondern weil er es nicht mochte, sich herumstoßen und schlagen zu lassen wie ein kleiner Junge, der sich gegen die großen Jungs nicht zu wehren weiß. Es war zu beschämend.

Er schritt zurück zum Pilotensitz und schnallte sich fest. Sein Körper protestierte mit jeder Faser, aber er befahl ihm, sich damit abzufinden.

Gomez protestierte, und er befahl ihm, sich ebenfalls damit abzufinden.

»Aber John, mehr können die Männer nicht aushalten. Das Schiff auch nicht.«

»In Ordnung«, sagte Dilullo. »Dann wollen wir zusehen, daß an Bord nicht ein Knochensplitter oder ein Stückchen Fleisch übrigbleibt, in das diese Wölfe ihre Zähne schlagen können.«

Er rief Bollard über das Interkom zu: »Volle Kraft und vergiß die Schirme.«

Er konnte die Schiffe jetzt sehen. Über die Schulter sagte er zu Chane: »Komm nach oben, wo du alles gut sehen kannst.«

Chane stand hinter ihm, an den Träger gelehnt. »Was hast du vor?«

»Ich werde sie dazu bringen, uns zu zerstören«, sagte Dilullo und drückte die Tasten.

Das Söldnerschiff machte einen Satz nach vorne, der herannahenden Schwadron entgegen.

Bixels Stimme donnerte aus dem Interkom. »John, ich habe noch einen, einen schweren. Einen Schweren! Kommt von hinten.«

Es dauerte einen Moment, bis es zu Dilullo durchdrang. Dilullo hatte sich völlig seiner tödlichen Wut hingegeben, seine ganze Aufmerksamkeit galt den Schiffen der Sternenwölfe. Er hatte Bixel sehr wohl gehört und hörte auch die anderen auf ihn einschreien, aber irgendwie befand sich eine Mauer zwischen ihnen.

Dann umschlossen Chanes Finger seine Schulter so schmerzhaft, daß er es nicht ignorieren konnte, und Chane sagte gerade: ». . . schwerer Kreuzer! Es muß ein Vholaner sein . . . die Wache, von der Thrandirin gesprochen hat. Sie müssen nach uns gesucht haben . . . uns entdeckt haben, als wir in die Reichweite ihrer Suchstrahlen kamen.«

Dilullos Gehirn löste sich aus der kalten Wut und begann mit voller Geschwindigkeit zu arbeiten. »Koordinaten!« bellte er Bixel an. »Voraussichtlichen Kurs und Geschwindigkeit.« Er blickte wieder auf die Sternenwolf-Schiffe, diesesmal mit einer Art von teuflischem Vergnügen. »Schilde hoch, Bollard! Schilde hoch! Wir werden unseren Sternenwolf-Freunden etwas Größeres zum Spielen geben. Gomez . . . den Rückspiegel!«

Er konnte die Formation der kleinen Sternenwolf-Schiffe vor sich sehr deutlich sehen. Sie nahm gerade die Form eines fliegenden U's ein, die Flügel beinahe liebevoll ausstreckend, um ihn zu umarmen.

Unterhalb des Sichtschirmes erwachte flackernd ein weiterer

Schirm zum Leben, der das Bild des Raumes hinter ihnen zeigte. Ein großer Sternenkreuzer tauchte aus dem Sternenstaub des Nebels auf und näherte sich ihnen rasant. Er fragte sich, was der Kommandant wohl denken würde, wenn er die Sternenwolf-Schwadron sah und erkannte. Er dachte, es müßte schon so etwas wie ein Schock für ihn sein, gegen ein kleines Söldnerschiff auszurücken, nur um herausfinden zu müssen, daß die geheime Schutzzone der Vholaner von einem zahlenmäßig stärkeren und tödlicheren Feind heimgesucht worden war.

Auch für die Sternenwölfe mußte es wie ein Schock wirken ... einen schweren Kreuzer dort vorzufinden, wo sie nur ein ausgelaugtes Opfer erwartet hatten.

Die Schiff-zu-Schiff-Kommunikation erwachte zum Leben. Eine männliche Stimme brüllte in holprigem Galakto: »Söldner! Hier spricht der vholanische Kreuzer. Stoppen Sie unverzüglich die Maschinen, oder wir werden Sie manövrierunfähig schießen.«

Dilullo schaltete seinen Sender ein und sagte: »Dilullo spricht. Was ist mit den Sternenwölfen?«

»Wir kümmern uns um sie.«

»Das ist nett«, sagte Dilullo. »Danke. Aber darf ich Sie daran erinnern, daß ich Thrandirin und zwei Generäle an Bord habe? Ich möchte kein Risiko in bezug auf ihre Sicherheit eingehen.«

»Würde ich auch nicht«, sagte die vholanische Stimme grimmig, »aber meine Befehle lauten, Sie unter allen Umständen zu stoppen und mir erst in zweiter Linie Gedanken um die Geiseln zu machen. Ist das klar?«

»Völlig«, sagte Dilullo, und schaltete seine Maschinen zwei Stufen höher. Das Schiff sprang vorwärts, und er begann es vor und zurück zu gieren, so daß es den Sternenwölfen entgegenraste wie ein Fuchs rennt, niemals ein sauberes Ziel für einen Schuß abgebend. Es war hart für das Schiff, hart für die Männer, aber nicht so hart wie der nach ihnen greifende Energiestrahl des Kreuzers, der sie deshalb verfehlte.

Die Sternenwolf-Formation brach auseinander und zerstreute sich, um so kein zusammenstehendes Ziel für den Kreuzer abzugeben. Es hatte beinahe etwas von einem nachträglichen

Einfall an sich, daß sie auf das Söldnerschiff feuerten. Es bockte und rollte zweimal, als die Raketen an seinem Schild aufprallten, dann war es durch die Schwadron hindurch, raste davon, und der Monitorschirm zeigte hinter ihm den vholanischen Kreuzer und die Sternenwolf-Schiffe im Kampf, die wendigen kleinen Schiffe, die den gewaltigen Schweren ansprangen und nach ihm schnappten wie Hunde um einen Bären.

Dilullo blickte auf und sah Chanes schwarze Augen auf den Monitor fixiert, mit einem ebenso erleichterten wie bedauernden Gesichtsausdruck.

Dilullo sagte: »Es tut mir leid, aber wir können nicht hierbleiben und abwarten, wer gewinnt.«

Der Kampf blieb zurück, verschwand hinter ihnen in den glühenden Nebeln, und auch die Nebel ließen sie hinter sich, als das Söldnerschiff in den Overdrive überging.

Chane sagte, mit einem Anklang von Stolz, den er nicht ganz verbergen konnte: »Sie werden den Schweren ganz schön beschäftigten. Er hat zwar die Stärke, aber sie haben die Geschwindigkeit. Sie würden nicht versuchen, ihn zu zerstören, . . . aber wenn sich keiner einmischt, werden sie ihn einfach zu Tode reizen.«

»Ich hoffe, sie haben alle ihr Vergnügen«, sagte Dilullo scharf und sprach in das Interkom. »Bixel, konntest du ein ECV kriegen?«

»Ich füttere gerade den Computer damit. In einer Minute habe ich die Rückverfolgung.«

Sie warteten. Dilullo bemerkte, daß Chane ihn mit einem neuen Ausdruck ansah ... wie sollte man es bezeichnen? Respekt? Bewunderung?

»Du hättest es wirklich getan«, sagte Chane. »Sie dazu zu bringen, uns zu zerstören, damit ihnen nichts und niemand in die Hände fällt.«

»Diese Sternenwölfe«, sagte Dilullo, »sind sich ihrer selbst zu sicher. Irgendwann steht irgend jemand auf und wird sie tödlich überraschen.«

Chane sagte: »Bisher würde ich das nicht geglaubt haben, aber jetzt bin ich mir da nicht mehr so sicher.«

»Hier kommt es«, sagte Gomez; das Computerband klapperte unter seiner Hand.

Gomez studierte das Band und erstellte ein Koordinatenmuster auf der Sternenkarte. »Ausgehend vom angenommenen Kurs und der geschätzten Geschwindigkeit kam der Kreuzer wahrscheinlich aus dieser Gegend.« Er gab die betreffenden Koordinaten ein, und eine Mikrokarte schob sich vor die Vergrößerungslinse und füllte das vom Koordinatenmuster festgelegte Gebiet. Dilullo lehnte sich darüber, um es zu studieren.

Das Gebiet war ein Teil der gewundenen Feuerschlange, der Teil, den man mit ihrem Kopf gleichsetzen konnte. Ungefähr an der Stelle, an der eine parseklange Feuerschlange ihr Auge haben könnte, saß ein Stern. Ein grüner Stern, mit fünf planetaren Körpern, von denen nur einer groß genug war, mit Fug und Recht als Planet bezeichnet zu werden.

Dilullo bemerkte, daß ihm jemand über die Schulter blickte. Es war Bollard; sein rundes Gesicht immer noch gelassen, trotz einiger häßlicher Flecken, die Prellungen oder geplatzte Adern sein konnten.

»Im Maschinenraum alles in Ordnung?« fragte Dilullo.

»Alles in Ordnung, obwohl wir es nicht verdient haben.«

»Dann, schlage ich vor, sollten wir lieber einen Blick hierauf werfen.«

Bollard sah mißmutig den grünen Stern an, das unheilvolle Auge der Feuerschlange.

»Kann die Stelle sein, oder auch nicht, John.«

»Wir werden es niemals wissen, wenn wir es uns nicht ansehen, oder?«

»Auch darauf gebe ich keine Antwort. Glaubst du, du könntest dich hinter dem Rücken des Kreuzers hineinschleichen, während der mit den Sternenwölfen beschäftigt ist?«

»Ich kann es versuchen.«

»Sicher kannst du das. Aber werde nicht größenwahnsinnig, nur weil du einmal einen Sternenwolf niedergemacht hast. Ein Kreuzer hat uns entdeckt, aber wenn sie nur einen Kreuzer auf Wache stehen hätten, hätten sie diesen niemals hinausgeschickt, um nachzusehen. Sie müssen noch einen haben, der in der

Nähe des Planeten wartet und aufpaßt, ob wir entkommen. Und sie werden inzwischen wissen, daß dem so ist.«

»Danke, Bollard«, sagte Dilullo. »Jetzt geh nach unten und muntere deine Maschinen auf.«

Er setzte Kurs auf die grüne Sonne.

Sie fielen zurück in den normalen Raum, gefährlich nahe einem Trümmerfeld zwischen den beiden äußeren Welten des Systems der grünen Sonne, und versteckten sich dort, gaben vor, ein Asteroid zu sein, der faul mit all den anderen in dem dunstigen schauerlichen Licht kreiste. Die dichten Nebelgase schimmerten hier grün statt in dem warmen Gold um die gelben Sterne. Es gab Dilullo ein kaltes, fürchterlich klaustrophobisches Gefühl. Er ertappte sich selbst dabei, nach Luft zu schnappen, und fragte sich, was mit ihm los war. Dann erinnerte er sich daran, wie er einmal als Kind ertrinkend auf dem Grund eines Swimmingpools voll stillem, grünem Wasser gelegen hatte.

Er schüttelte den Alpdruck ab, erinnerte sich selbst daran, daß sein Vater rechtzeitig gekommen war, um ihn zu retten, aber dieser Vater war jetzt nicht hier, und er mußte es allein schaffen.

Er ging in den Navigationsraum, um sich mit Bixel abzustimmen. Eine Menge Störflecken zeigte sich auf dem Langstrecken-Radarschirm. Er brauchte einige Zeit, sich durchzufinden, aber dann stand das Ergebnis außer Zweifel.

»Noch ein großer Kreuzer«, sagte Bixel. »Stationiert bei dem Planeten, fliegt einen Abfang-Patrouillenkurs. Wir haben keine Chance, an ihm vorbeizukommen.«

»Nun gut«, sagte Dilullo, »zumindest wissen wir, daß wir hier richtig sind.«

Er ging zurück zur Brücke, quetschte sich an Bollard vorbei in den Durchgang. Bollard fragte: »Was jetzt?«

»Gib mir fünf Minuten, mir einen brillanten Plan auszudenken«, sagte Dilullo.

Chane winkte ihn zu sich herüber. Er stand neben Rutledge am Funkkontroll-Zentrum. Rutledge hatte die Schiff-zu-Schiff-Frequenz geöffnet, und Dilullo konnte knisternde Stimmen hören, die sich auf vholanisch unterhielten.

»Das sind die zwei Kreuzer — der eine, der gegen die Sternenwölfe kämpft, und der andere bei dem Planeten vor uns«, sagte Chane. »Sie haben sich fürchterlich viel zu sagen.« Er grinste, und wieder war da der Hauch von Stolz, nur halbwegs verdeckt. »Sie klangen ziemlich aufgeregt.«

»Dazu haben sie allen Grund«, sagte Dilullo. »Nicht nur wir dringen in ihre Privatsphäre ein, sondern auch noch ein Rudel Sternenwölfe. Hol Thrandirin her. Er kann übersetzen.«

Chane ging hinaus. Dilullo lauschte den Stimmen. Sie klangen in der Tat aufgeregt, und zwar in zunehmendem Maße. Da sie nur einen relativ kleinen Sprung im Overdrive zurückgelegt hatten, war auch tatsächlich nicht viel mehr Zeit vergangen, seit sie die Schlacht verlassen hatten, und es hörte sich an, als wäre sie noch immer im Gange . . . die beiden Kreuzerkommandanten schrien sich jetzt gegenseitig an, und Dilullo grinste.

»Klingt, als ob einer von ihnen um Hilfe ruft und ihm der andere sagt, daß er nicht kommen kann.«

Er unterbrach sich, als Chane mit Thrandirin hereinkam. Er betrachtete das Gesicht des Vholaners, sah, wie sich sein Gesichtsausdruck veränderte, als er die hitzigen Stimmen aus dem Funkgerät hörte.

»Die Sternenwölfe heizen Ihrem Kreuzer ganz schön ein, nicht wahr?« fragte er.

Thrandirin nickte.

»Wird der eine über dem Planeten ihm zur Hilfe eilen?«

»Nein. Die Befehle sind eindeutig. Einer der Kreuzer muß jederzeit auf seinem Posten bleiben, ungeachtet, was geschieht.«

Die Stimmen aus dem Funkgerät hörten auf zu schreien, und eine davon sagte etwas in kaltem, hartem, sachlichem Tonfall. Danach war Stille. Dilullo beobachtete Thrandirins Gesichtsausdruck, nicht ohne Chane zu bemerken, der mit einem leichten Grinsen auf den Lippen und gespitzten Ohren hinter dem Vholaner stand.

Die zweite Stimme antwortete mit etwas, das sich wie eine kurze Bestätigung anhörte. Er sah den Mann beinahe körperlich vor sich, einen Mann unter der schweren Last der Entscheidung. Und Thrandirin sagte ärgerlich: »Nein!«

»Was haben sie gesagt?« fragte Dilullo.

Thrandirin schüttelte den Kopf. Dilullo sagte: »Nun gut, wenn Sie es uns nicht sagen, werden wir abwarten und sehen, was passiert.«

Sie warteten. Aus dem Funkgerät kamen keine Gespräche mehr. Auf der Brücke war es ziemlich still. Jeder stand oder saß wie eine Statue, nicht sicher, worauf sie eigentlich warteten. Dann kam Bixels Stimme sich überschlagend über das Interkom:

»John! Der eine über dem Planeten bricht aus seinem Raster aus.«

»Kommt er auf uns zu?«

»Nein. Er verläßt das System in einem Winkel von vierzehn Grad, mit zweimal so großem Höhenwinkel. Er hat's eilig.« Und dann schrie Bixel: »Er ist in den Overdrive gesprungen. Ich habe ihn verloren.«

»Also«, sagte Dilullo zu Thrandirin. »Was haben sie gesagt?«

Thrandirin sah ihn mit nachlassendem Haß an. »Er hat das System verlassen, um dem anderen Kreuzer gegen die Sternenwölfe zu helfen. Er mußte sich entscheiden ... und er entschied sich, daß die Sternenwölfe eine weitaus größere Gefahr darstellen als Sie.«

»Nicht gerade schmeichelhaft für uns«, sagte Dilullo. »Aber ich will mich auch nicht beschweren, schließlich ist dadurch der Weg zum Planeten frei.«

»Ja, das ist er«, sagte Thrandirin. »Fliegen Sie hin und landen Sie. Es ist niemand mehr da, der Sie aufhalten könnte. Und wenn unsere Kreuzer die Sternenwölfe erledigt haben, werden sie zurückkommen, Sie am Boden festsetzen und zerstampfen.«

Bollard sagte: »Diesmal gebe ich ihm recht.«

»Ja«, sagte Dilullo. »Ich auch. Du willst also jetzt umkehren?«

»Was?« sagte Bollard. »Nach all dem, was wir durchgemacht haben?«

Er raste in Richtung Maschinenraum davon. Chane brachte, in sich hineinlachend, Thrandirin von der Brücke.

Dilullo steuerte das Söldnerschiff aus dem Trümmerfeld hinaus und mit voller Geschwindigkeit auf den Planeten zu.

15

Es wäre einfacher gewesen, dachte Dilullo, wenn sie gewußt hätten, wonach sie eigentlich suchten. Aber das wußten sie nicht; sie wußten noch nicht einmal, wieviel Zeit ihnen blieb, danach zu suchen, abgesehen davon, daß es wahrscheinlich zu wenig war. Dilullo hatte eine Gelegenheit gefunden, mit Chane allein zu sprechen.

»Was denkst du? Du kennst sie; du warst bei solchen Aktionen schon dabei. Wie geht es aus?«

Chane hatte gesagt: »Die Sternenwölfe sind ohne Furcht, aber nicht ohne Intelligenz. Mit einem schweren Kreuzer würden sie es aufnehmen, und wie du gehört hast, steckten die in so großen Schwierigkeiten, daß der Kommandant um Hilfe geschrien hat. Aber zwei schwere Kreuzer ... nein. Auch ohne die Verluste, die sie inzwischen gehabt haben müssen, ist das zuviel für sie. Sie werden sich zurückziehen.«

»Von dieser Schlacht? Oder ganz?«

Chane zuckte die Schultern. »Wenn Ssander noch das Sagen hätte, würden sie sich ganz zurückziehen. Die Schwadron ist jetzt schon ziemlich lange von Varna fort, viel länger, als sie es geplant hatten. Sie ist in Schwierigkeiten geraten, die sie nicht erwartet hat und mit denen sie nicht fertig wird ... zwei Schwere. Ssander würde abgewogen haben ... und sich ausgerechnet haben, daß es gescheiter wäre zu leben und die Rache auch bis morgen warten könne. Ich glaube, sie werden gehen.« Er grinste. »Und wenn sie das tun, kommen die beiden Kreuzer hierhin zurückgerast, um ihr weniger wichtiges Problem zu erledigen.«

»Vergiß nicht, daß du ein Teil dieses Problems bist«, erinnerte ihn Dilullo.

Jetzt jagte das Söldnerschiff dicht über der Oberfläche um den Planeten, dichter, als es Dilullo lieb war. Aber die Atmosphäre war merkwürdig dick, hüllte die kleine Welt in einen beinahe undurchdringlichen Vorhang. Nachdem er das Schiff weit genug durch sie hindurch hinuntergebracht hatte, konnte er verstehen, warum das so war. Diese Welt schien aus einem rasenden Sandsturm zu bestehen, aufgepeitscht und getrieben von fürchterlichen Strömungen. Wo er sie sehen konnte, bestand die Oberfläche aus nichts als Wanderdünen und Felsen. An einigen Stellen waren die Dünen über die Bergkämme und die schroff aufragenden Gipfel geflossen, an anderen war der Felsen hoch und kräftig genug, die Dünen zurückzuhalten, und im Schutz dieser grotesk erodierten Wände lagen lange sanfte Ebenen, die eine dunklere Farbe zeigten als die aufgetürmten Dünen.

Dilullo war sich nicht absolut sicher, welche Farbe das war. Der Sand, oder Staub, hätte auf der Erde alles sein können, von einem hellen Gelbbraun bis zu Rot. Aber unter der grünen Sonne waren die Farben verfälscht und merkwürdig, so als hätte ein Kind sie wild zusammengemischt, um zu sehen, welch häßliche Matschsoße es erfinden konnte.

»Nicht unbedingt der Ort, den man sich für seinen Urlaub aussuchen würde«, sagte Dilullo.

Gomez äußerte etwas wenig Schmeichelhaftes auf Spanisch, und Chane, der bereits wieder auf der Brücke herumgeisterte und über ihre Schultern linste, lachte und sagte: »Wenn jemand irgend etwas da verstecken sollte, wo keiner gerne danach sucht, ist er hier genau richtig.«

Bollards Stimme kam über das Interkom aus dem Maschinenraum. »Schon was zu sehen?« Als Dilullo verneinte, sagte er: »Wir sollten es besser schnell schaffen, John. Diese Kreuzer werden zurückkommen.«

»Ich bete ja schon«, sagte Dilullo. »Das ist alles, was ich im Moment tun kann.«

Sie fegten über die Nachtseite, hielten Ausschau nah Lichtern, sahen keine, flogen in einen Sonnenaufgang hinein, der in Gelbgrün erstrahlte und statt eines kupfersulfatblauen einen kupferkarbonatgrünen Himmel entflammte. Jenseits des Morgengrauens, wo die Sonne bereits hoch am Himmel stand, erhob sich eine Gruppe von schwarzen Gipfeln aus den Dünen, deren stützende Schultern die Sandwellen zurückschlugen. Auf der anderen Seite der Gruppe — die Lee-Seite, geschützt vor dem alles beherrschenden Wind, auf einer fächerförmigen Ebene, so glatt wie eine Mädchenwange — war das *Ding*, das sie suchten.

In dem Moment, da Dilullo es sah, wußte er, daß es nichts anderes hätte sein können. Das, von dem er, unbewußt natürlich, gewußt hatte, als was es sich entpuppen würde, seit Chane aus dem Lagerhaus zurückgekommen war, mit den Fotos und der Analysator-Disk, die nichts aufgezeichnet hatte.

Es war ein Schiff. Sein Verstand sagte ihm, daß es kein Schiff sein könne, dazu war es zu gewaltig, aber seine Augen sahen es, und es war da.

Ein Schiff, das mit nichts vergleichbar war, was er jemals zuvor gesehen oder von dem er auch nur geträumt hatte. Ein so gewaltiges Schiff konnte niemals von irgendeinem Planeten gestartet sein, es mußte im Raum gebaut worden sein, Form annehmend in irgendeiner namenlosen Leere unter den Händen und Augen von Gott weiß welchen Erbauern, eine treibende Welt, einsam und frei, ohne fesselnde Sonne oder Schwesterplaneten. Eine Welt, lang, dunkel, sich selbst einschließend und nicht dazu gedacht, für immer in einem festen Orbit zu bleiben, sondern dazu bestimmt, frei zu reisen in die ungeheuren Weiten der gesamten Schöpfung. So weit war es gereist. Und hier lag es, schließlich gestrandet auf dieser schrecklichen Welt; sein massiver Körper zerbrochen, verloren, tot und einsam, halb begraben unter fremdem Sand.

Chane sagte leise: »So, das verstecken sie also.«

»Wo ist es hergekommen?« fragte Gomez. »Jedenfalls von keiner Welt, die ich kenne.«

»Ein Schiff dieser Größe ist niemals gebaut worden, nur um zwischen den Welten, die wir kennen, zu pendeln«, sagte Dilullo. »In unserer ganzen Galaxis gibt es keine Zivilisation, die es gebaut haben könnte. Es kam von irgendwo außerhalb. Andromeda vielleicht . . . oder noch weiter.«

»Ich glaube nicht, daß das Ding auf irgendeinem Planeten landen sollte . . . und wenn, würde die Anziehungskraft ausreichen, es zu zerstören«, sagte Chane.

»Schaut!« unterbrach Dilullo. »Sie haben uns gesichtet.«

Ein paar kleine Metall- und Plastik-Kugeln kauerten sich an den Fuß der Felsen. Männer begann aus ihnen zu stürzen, als sich das Söldnerschiff senkte. Andere Männer tauchten aus der zerbrochenen Seite des Monster-Schiffes auf, Ameisen, die aus dem Kadaver eines Giganten krabbelten, der den dunklen Ozean zwischen den Insel-Universen überwunden und sich dabei selbst getötet hatte.

Dilullo sprach scharf über das Interkom zur ganzen Mannschaft. »Wir rücken aus, sobald wir gelandet sind. Ich glaube, diese Leute sind Spezialisten, Zivilisten, aber einige von ihnen könnten sich auf einen Kampf einlassen, und es könnte eine Schutztruppe geben. Benutzt die Strahler, und tötet nicht, wenn es nicht unbedingt sein muß. Bollard . . .«

»Ja, John.«

»Besetz den Kampfstand, und decke uns. Sobald wir die Position gesichert haben, werden wir so schnell wie möglich einen Verteidigungsring um beiden Schiffe errichten. Ich werde so nahe wie möglich neben dem Giganten landen. Die Kreuzer können uns dann nicht mit ihren schweren Waffen angreifen, ohne das große Schiff zu beschädigen, und ich glaube nicht, daß sie das wollen. Nimm dir die Männer, die du brauchst, Bollard. Okay, wir gehen runter.«

Dann war das Söldnerschiff unten auf der umbragrünen Ebene, die massive, zerrissene Flanke des fremden Raumschiffes unmittelbar neben sich aufragend wie ein Gebirgszug aus Metall. Dilullo öffnete die Schleuse und verließ an der Spitze der Söldner das Schiff, Chane rannte leichtfüßig neben ihm wie ein treuer Hund. Die vholanischen Spezialisten, stark beunruhigt, rannten herum und veranstalteten eine Menge Geschrei, aber nicht viel mehr. Sie würden kein Problem darstellen, dachte Dilullo, doch dann sah er die anderen Männer.

Es waren ungefähr zwanzig, weißhaarige Vholaner in Uniform-Tuniken, garstig anzusehen in dem grünen Licht. Sie schienen aus dem großen Schiff gekommen zu sein. Wahrscheinlich lebten sie darin, bewachten es auch vor ihren eigenen Leuten, so daß ihnen nichts verborgen blieb, kein Fragment oder Material unerlaubt und ungesehen hinausgebracht werden

111

konnte. Diese Männer hatten Laser, und sie bewegten sich mit einer unangenehm professionellen Präzision direkt auf die Söldner zu.

Bollard schickte ihnen vom Schiff aus eine Runde Gasgranaten entgegen. Die Söldnerschiffe verfügten über keine allzu schwere Bewaffnung, da sie in erster Linie Transporter waren, dazu bestimmt, die Männer dahin zu bringen, wo die Action war. Aber sie mußten häufig in Gebieten intensiver Feindseligkeit landen oder starten, und so hatten sie einige Waffen an Bord, hauptsächlich defensive. Die Granaten mit nicht-tödlichem Gas hatten sich beim Auflösen angreifender Gruppenformationen als sehr wirksam erwiesen.

Die vholanischen Soldaten husteten und taumelten mit den Händen vor ihren Augen herum. Die meisten von ihnen ließen ihre Laser bei der ersten Runde fallen, denn sie konnten nicht sehen, wo sie hinschossen, und so hätte es leicht passieren können, daß sie sich gegenseitig töteten. Die zweite Runde nahm sich der Nachzügler an. Söldner mit Gasmasken vollendeten die Entwaffnung und trieben sie zusammen. Andere hatten die Zivilisten im Griff und durchsuchten die Kuppeln nach einem Platz, wo sie sie unterbringen konnten.

»Gut«, sagte Chane. »Das war einfach genug.«

Dilullo brummte vor sich hin.

»Du siehst nicht aus, als wärst du darüber sehr glücklich.«

»In diesem Geschäft geht nichts einfach«, sagte Dilullo. »Und wenn es das einmal tut, bekommst du später die Rechnung dafür präsentiert.« Er sah hinauf in den Himmel. »Ich würde einiges darum geben, zu wissen, wann diese Kreuzer zurückkommen.«

Chane gab darauf keine Antwort, ebensowenig wie der Himmel. Dilullo kümmerte sich mit Bollard darum, die Söldner zu dirigieren, den Verteidigungsring zu errichten, jede einzelne Waffe, die sie hatten, einschließlich der Muster, herauszuholen und Männer mit entsprechendem Werkzeug auszuschicken, Geschützstände dafür zu errichten und Löcher in den Sand zu sprengen. Andere Männer brachten Lager-Einzäunungen aus Elementen leichtgewichtiger Hartmetall-Legierung, die den

Söldnern auf vielen feindseligen Welten bereits gute Dienste geleistet hatten, und bauten sie auf. Sie arbeiteten schnell, schwitzend, und die ganze Zeit beobachtete Dilullo den Himmel.

Es war ein häßlicher Himmel, düster und trübe. Die Sonne wirkte wie das Gesicht einer Wasserleiche . . . da war das Symbol des Ertrinkens wieder . . . schimmerte mit einer kränklichen Phosphoreszenz durch den Staub und die Nebel-Gase.

Der Himmel blieb leer. Der Sturm blies. Sie waren vor seiner ganzen Kraft durch die Felswand abgeschattet, aber sie hörten seine kreischenden Geräusche über ihren Köpfen, wo er mit wütender Entschlossenheit an den Gipfeln aus schwarzem Fels riß. Ein feiner Sandregen sank herab, in die Augen, die Ohren, den Mund, in den Kragen, klebte und knirschte auf der verschwitzten Haut.

Dilullo hatte Erfahrung mit fremden Welten, mit ihrem Geschmack, wie sich ihre Luft anfühlte, das Gefühl des Bodens unter seinen Füßen.

Diese hier war kalt und sandig, scharfkantig, abweisend, und hatte, obwohl die Luft atembar war, einen bitteren Geruch. Dilullo mochte diese Welt nicht. Sie hatte sich der Aufgabe verweigert, Leben hervorzubringen, und es vorgezogen, ihre Äonen in selbstsüchtiger unfruchtbarer Nutzlosigkeit zu verbringen. Nichts hatte hier jemals gelebt. Aber etwas, jemand, war hierhergekommen, um zu sterben.

Bollard meldete ihm schließlich, daß der Verteidigungsring aufgebaut und voll bemannt war. Dilullo wandte sich um und sah zu dem gewaltigen aufgerissenen Schiffskörper hinauf, der sich über ihnen abzeichnete. Sogar in der Hektik der Vorbereitungen war er sich seiner bewußt gewesen, nicht nur als physikalisches, sondern als geistiges Ding, eine Fremdartigkeit, ein Geheimnis, eine Kälte ums Herz und eine tiefsitzende Erregung, die sich heiß und auflodernd durch seine Nervenbahnen zog.

»Sitzt Bixel am Radar?«

»Ja. Bis jetzt nichts.«

»Bleib in engem Kontakt, sorg dafür, daß er nicht müde wird. Chane . . .«

113

»Ja?«

»Finde heraus, welcher von diesen Spezialisten die Projekt-Leitung hat, und bring ihn zu mir.«

»Wo finde ich dich?«

Dilullo nahm einen tiefen Atemzug und sagte: »Da drin.«

Die Vholaner hatten an einer der zerstörten Stellen in der Seite des großen Schiffes einen behelfsmäßigen Zugang errichtet. Andere Risse in der Metallhülle wurden von Platten aus hartem Kunststoff verdeckt, um den Wind und den feinen Staub abzuwehren.

Dilullo kletterte die sandigen Stufen zur Schleuse hinauf und trat hindurch, in eine andere Welt.

16

Chane ging im drohenden Schatten des großen Schiffes zu der Kuppel, in der die Vholaner gefangengehalten wurden. Seine Gedanken beschäftigten sich mit keinem der beiden. Er dachte an die beiden schweren Kreuzer und eine Schwadron Sternenwölfe, irgendwo da draußen jenseits des schauerlichen Himmels ... fragte sich, wie die Schlacht stand und wer gestorben war.

Er mochte dieses aufgewühlte Gefühl in seinem Inneren nicht. Er haßte die Sternenwölfe, er wollte, daß sie starben, wußte, daß sie ihn gnadenlos töten würden, und trotzdem ...

Jene Stunden auf dem Söldnerschiff waren einige der härtesten seines Lebens gewesen. Es war völlig falsch, gegen seine eigenen Leute zu kämpfen und dem Mann zuzujubeln, der sie schlug, nur weil du ihm gesagt hast, wie. Chane konnte sich an keine Minute seines Lebens erinnern, in der nicht alles einfach und unkompliziert für ihn gewesen war. Er war ein Sternenwolf, er war stolz und stark, Vollmitglied der Bruderschaft, und die Galaxis war ein phantastischer Ort, angefüllt mit Beute und

Aufregung, alles zu ihrer freien Verfügung, damit zu tun, was sie wollten.

Jetzt, da seine Brüder sich gegen ihn gewandt hatten, war er gezwungen, sich der Schafherde anzuschließen, was schlimm genug war, aber das schlimmste war, daß er begann, einen von ihnen zu mögen. Dilullo war nur ein Mensch, aber er hatte Mut. Kein Sternenwolf hätte das besser machen können. Es tat Chane weh, das zu sagen, auch nur zu sich selbst, aber es war die Wahrheit.

Verdammt. Und was taten sie dort draußen, diese flinken kleinen Schiffe, die nach dem Kreuzer schnappten und um ihn herumsprangen? Sie hatten ihn in große Schwierigkeiten gebracht, das war sicher, oder der zweite Kreuzer würde niemals abgeflogen sein. Chane lächelte in unverbesserlichem Stolz. Die Vholaner hatten lieber den Söldnern diese Welt auf dem Silbertablett serviert, als das Risiko einzugehen, daß die Sternenwölfe durchbrachen.

Mit einem schweren Kreuzer konnten die Sternenwölfe fertig werden. Aber nicht mit zweien. *Ich sollte da draußen sein,* dachte Chane, *euch helfen, statt froh zu sein, daß der Kreuzer euch aufgehalten hat, und zu hoffen, daß der zweite euch in eure Atome zerlegt.*

Wie sie ihn vermutlich zerlegen würden und Dilullo und den Rest der Söldner, sobald sie zurückkamen.

Nun, das würde zumindest seine Probleme lösen. Er verachtete dieses Herumschnüffeln in seinem Inneren, versuchte, die Gefühle zu unterdrücken, die er nie zuvor hatte fühlen müssen. Also zum Teufel mit ihnen.

Er hatte die Kuppel erreicht und trat ein. Die Vholaner waren, unter den wachsamen Augen und den schußbereiten Betäubungsstrahlern von fünf Soldnern unter Sekkinens Führung, zusammen in einen Raum gesperrt worden, der so etwas wie eine Messe oder ein Gemeinschaftsraum zu sein schien. Es dauerte ein paar Minuten, das halb-hysterische Gebrabbel zu durchdringen, nachdem Chane Sekkinen erklärt hatte, was Dilullo wollte, und begann, die Zivilisten auf Galakto zu befragen. Schließlich zeigten sie auf einen gebeugten, gelehrt aussehenden Vholaner in einer zerknitterten blauen Tunika, der die Söldner mit einer Mischung aus Hochnäsigkeit und der Angst des Gelehrten, der sich plötzlich mit großen und gewalttätigen Männern konfrontiert sieht, anstarrte. Er gab zu, daß sein Name Labdibdin und er der Leiter des Forschungsprojektes war.

»Aber«, fügte er hinzu, »ich möchte klarstellen, daß ich in keiner Weise mit Ihnen kooperieren werde.«

Chane zuckte die Schulter. »Darüber kannst du dich mit Dilullo unterhalten.«

»Verlier ihn nicht«, sagte Sekkinen.

»Ich werde ihn schon nicht verlieren.« Chane packte Labdibdins Arm und legte seine Kraft in den Griff, so daß der Vholaner vor Schmerzen winselte und dann Chane ansah, überrascht von einer solchen Stärke im Griff eines Menschen. Chane lächelte ihn an und sagte: »Wir werden keine Probleme haben. Komm mit mir.«

Der Vholaner kam. Er ging steif vor Chane her, aus der Kuppel und zurück durch den kalten Sand unter den gewaltigen Schatten des Schiffes. Das Ding mußte über eineinhalb Kilometer lang sein, dachte Chane, und etwa ein Viertel so hoch ... es war ziemlich offensichtlich, daß es niemals für eine Landung vorgesehen war.

Er wurde aufgeregt, dachte über das Schiff nach, wo es hergekommen war und warum, und was in ihm war. Die gierige Sternenwolfnase witterte Beute.

Dann erinnerte er sich daran, daß Dilullo hier das Sagen hatte, und seine Leidenschaft kühlte sich ab, denn Dilullo hatte diese merkwürdigen Vorstellungen von Ethik und Eigentum.

Er stieß den Vholaner mit unnötiger Härte die Stufen hinauf und durch die Schleuse.

Ein Steg führte über eine etwa sechs Meter breite Schlucht leerer Dunkelheit, die tief unter die Sandoberfläche hinunterreichte, in das Innere des Schiffes. Das Ende des Steges stieß auf einen querliegenden Gang, der sich längsschiffs, so weit Chane sehen konnte, in beiden Richtungen erstreckte. Die vholanischen Techniker hatten eine Behelfsbeleuchtung angebracht. Sie gab ein kaltes, gleißendes und spärliches Licht ab, diesem Ort ebenso wenig angemessen wie Streichhölzer in Jonas' Wal. Sie ließen erkennen, daß die Wände des Ganges aus dem gleichen mattgoldenen Material zu bestehen schienen, das er in dem Lagerhaus auf Vhol gesehen hatte. Es mußte eine große Belastbarkeit haben, denn es war relativ unbeschädigt, hier und da verzogen, aber nicht zerstört. Der ganze Gang war leicht geneigt, der Boden verlief uneben bergauf und -ab. Trotzdem waren die Bodenplatten nicht zerbrochen.

Die innere Wand wurde ungefähr alle fünfzehn Meter von Türrahmen durchbrochen. Chane ging durch den nächstgelegenen.

Und fand sich wie ein Vogel hoch über und mitten in etwas, das aussah wie ein kosmisches Museum.

Er hatte keine Möglichkeit abzuschätzen, wieviel Raum es einnahm. Es reichte weit über ihm hinauf und viel tiefer hinab unter die Ebene des Sandbodens außerhalb des Schiffes, und auf jeder Seite verschwand es in der Dunkelheit, hier und da erleuchtet von den unzureichenden Behelfslampen.

Er stand auf einer schmalen Galerie. Darüber und darunter befanden sich weitere Galerien, und von ihnen ging ein Netz von Stegen aus, das sich nach Spinnenart über die ganze Region ausspannte, alle vertikal durch ein System käfigartiger Aufzüge miteinander verbunden. Die Aufzüge und Stege waren dazu gedacht, Zugang zu allen Ebenen der gewaltigen Magazine zu gewähren, die, beinahe wie die Häuser in einer fantastischen Stadt, ordentlich in Reih und Glied aufgebaut, den Raum ausfüllten. Das mattgoldene Metall, aus dem sie und die Wege erbaut waren, hatte erneut seine Stärke bewiesen; zwar war die ursprüngliche perfekte Symmetrie durch das unvermeidliche Verbiegen und Verdrehen verschwunden, Wege waren verdreht, und Magazine neigten sich aus der Reihe, und möglicherweise gab es Schäden, die er nicht sehen konnte, weiter unten, aber im großen ganzen hatte es überlebt. Und es gab genug Beute hier, um vier Generationen von Sternenwölfen glücklich zu machen.

Chane sagte zu Labdibdin mit gedämpfter, ehrfürchtiger

Stimme: »Sie müssen die größten Plünderer der Galaxis gewesen sein.«

Labdibdin blickte ihn mit tiefempfundener Verachtung an: »Keine Plünderer. Wissenschaftler. Sammler des Wissens.«

»Oh«, sagte Chane. »Ich verstehe. Es kommt nur darauf an, wer es tut.«

Er folgte dem schrägen Gang, sich am Geländer festhaltend, und schob Labdibdin vor sich her. Die durchsichtigen Fenster des nächstgelegenen Magazins ermöglichten nur einen unvollkommenen Blick auf das, was darin war. Der harte Kunststoff war an verschiedenen Stellen gebrochen. Aber es gab einen Zugang vom Steg aus. Chane zwängte sich hindurch und stand in einem großen Raum vollgestopft mit ausgepolsterten Behältern.

Behälter mit Steinen: Diamanten, Smaragde, Rubine, edle und halbedle Steine aus der ganzen Galaxis. Und zwischen diesen lagen andere Steine: Brocken aus Granit und Basalt und Sandstein und Marmor und viele andere, die er nicht benennen konnte. Alles Steine. Alle zusammen.

Behälter mit Artefakten: Gebogene Klingen aus Silberstahl von den Herkules-Märkten, mit feingearbeiteten Heften, und große Äxte von irgendeiner Hinterwäldlerwelt; Nadeln und Stecknadeln und Töpfe und Eimer und juwelenbesetzte, ziselierte Goldhelme, Gürtelschnallen und Ringe, Hämmer und Sägen ... alles wild durcheinander.

»Das ist nur eine kleine Auswahl«, sagte Labdibdin. »Anscheinend wollten sie sie später klassifizieren, wenn sie ausreichend Zeit dazu hatten ... möglicherweise auf der Heimreise.«

»Heim, wohin?« fragte Chane.

Mit einem merkwürdig unbehaglichen Gesichtsausdruck sagte Labdibdin: »Wir sind nicht sicher.«

Chane streckte seine Hand nach einem der Behälter aus, die Edelsteine enthielten, und berührte ihn. Die Kunststoffoberfläche fühlte sich kalt unter seinen Fingern an, aber er konnte das Feuer der roten und grünen und vielfarbigen Steine beinahe körperlich spüren.

Labdibdin erlaubte sich ein bitteres Lächeln.

»Die Behälter waren an das Energienetz angeschlossen. Fuhr man mit der Hand, etwa so, über diese kleine Linse, öffnete sich der Deckel. Jetzt erhalten sie keine Energie. Sie müßten sie schon mit Gewalt öffnen.«

»Im Augenblick nicht zu machen«, sagte Chane und seufzte. »Wir könnten genausogut Dilullo suchen.«

Sie fanden ihn problemlos, ein Stückchen weiter, wo er einige Behälter mit Dreck betrachtete. Ganz normalen Dreck, soweit es Chane erkennen konnte.

»Erdproben«, sagte Labdibdin. »Es gibt viele davon, und Sammlungen von Pflanzen, und Proben von Wasser und Mineralien, und Gasen . . . Atmosphären, wie wir glauben, von allen Welten, die sie besucht haben. Ungezählte Artefakte aller Art . . .«

»Was ist mit Waffen?« erkundigte sich Dilullo.

»Es gab einige Waffen unter den Artefakten, die sie gesammelt haben, aber die höher entwickelten darunter waren für immer unbrauchbar gemacht . . .«

Dilullo sagte: »Spielen Sie nicht den Unwissenden. Mir ist egal, was sie gesammelt haben. Mich interessieren ihre eigenen Waffen, die Waffen dieses Schiffes.«

Labdibdins Gesichtsausdruck verhärtete sich, und er antwortete, wobei er jedes Wort einzeln ausspie, als haßte er sie: »Wir haben in diesem Schiff keinerlei Waffen gefunden, abgesehen von den unbrauchbaren Mustern in den Muster-Behältern.«

»Ich kann verstehen, daß Sie lügen«, sagte Dilullo. »Es wäre nicht in Ihrem Interesse, uns eine Waffe zu geben, die wir gegen Ihre eigenen Leute einsetzen würden. Aber der halbe Sektor spricht von dem, was Sie hier haben . . . der Superwaffe, mit der Kharal erobert werden soll . . .«

Ein leichter rosa Schimmer stieg langsam in Labdibdins Wangen. Von dem, was Chane bei diesen marmorhäutigen Leuten gesehen hatte, kam das einem wütenden Erröten am nächsten. Er ballte die Fäuste zusammen und hämmerte mit ihnen in einer Art Verzweiflung immer wieder auf die Brüstung ein.

»Waffen«, sagte er. »Waffen.« Seine Stimme versagte. »Meine

eigenen Leute hören nicht auf zu drängen, zu drängen und nochmals zu drängen, wollen, daß ich Waffen für sie finde, aber es gibt keine! Es gibt nicht einmal den Hauch einer Waffe in diesem Schiff. Es gibt keinerlei Aufzeichnungen über irgendeine Waffe. *Die Krii benutzten keine Waffen!* Ich habe es ihnen immer und immer wieder gesagt, aber sie wollen es einfach nicht glauben . . .«

»Die Krii?«

»Die . . . Wesen, die dieses Schiff gebaut haben.« Er wirbelte seine Hand wild gestikulierend durch die Luft, in der Absicht, alle Proben-Magazine damit einzuschließen. »In keinem von all diesen, in *keinem einzigen* von all diesen gibt es ein einziges Exemplar einer lebenden Kreatur, keinen Vogel, kein Tier, keinen Fisch und kein Insekt. Sie nehmen kein Leben. Ich will Ihnen etwas zeigen.«

Er entfernte sich von ihnen, beinahe laufend. Dilullo sah Chane an. Beide zuckten die Schultern, waren verwirrt von der Heftigkeit des Mannes, glaubten aber bei weitem nichts von dem, was er sagte.

»Halt ein wachsames Auge auf ihn«, brummte Dilullo, und sie rannten hinter dem Vholaner her, Dilullo ein wenig langsamer auf dem schrägstehenden Metallweg — es war ein langer Weg nach unten —, Chane mit Leichtigkeit an Labdibdins Fersen geheftet.

Er hatte sie zu einem Behelfsaufzug geführt, den die vholanischen Techniker installiert hatten und der von einem mobilen Transformator mit Strom versorgt wurde. Sie betraten ihn, und er fiel rasselnd mit ihnen hinunter und hinunter, vorbei an einer Magazin-Ebene nach der anderen. Dann stoppte er, und Labdibdin führte sie weiter in einen großen rechteckigen Raum, der offensichtlich so etwas wie ein Koordinierungs-Zentrum des Schiffes gewesen war und jetzt den vholanischen Technikern zum gleichen Zweck diente.

Einiges von der ursprünglichen Einrichtung war noch da, obwohl die Vholaner ansatzweise versucht hatten, es sich etwas bequemer zu machen. Es versetzte Chane einen gehörigen Schrecken, als er es sah. Die Höhe des Tisches ließ ihn sich wie ein Kind im Erwachsenenland fühlen, aber die dazugehörigen körpergeformten Sessel waren zu eng, auch nur seinem schmalen Hinterteil Platz zu bieten. Kein Wunder, daß die Vholaner ihre eigenen mitgebracht hatten.

Er sah die abgewetzten Stellen auf den Stühlen und dem Tisch, die vielen kleinen Spuren, die von Abnutzung zeugten. Hier hatte irgend etwas oder irgendwer gesessen und gearbeitet, einen eingebauten Mechanismus bedient oder irgendwelche Tastaturen, die nicht für menschliche Finger gedacht waren, hatte die Tasten abgenutzt und eine ausgeprägte Vertiefung in der unbestimmbaren Polsterung des Sitzes hinterlassen.

»Wie lange?« fragte Chane. »Ich meine, wie lange werden sie auf diesem Schiff gewesen sein?«

»Das ist eine törichte Frage«, antwortete Labdibdin scharf. »Wie lang ist lang? In ihrer Zeitrechnung oder unserer? Jahre oder Jahrzehnte, oder vielleicht auch nur Monate. Und ich wünschte, ich wüßte es. Ich wünschte, ich wüßte es! Schauen Sie her.«

Er stand vor einem ziemlich hohen Sockel aus dem mattgoldenen Metall. An seiner Front befand sich eine Konsole mit einer kompliziert aussehenden Anordnung von Tasten. »Es hat seine eigene Energieversorgung, unabhängig vom Schiff«, sagte er und streckte die Hand danach aus.

Chane legte seine Hand von hinten auf Labdibdins Nacken und sagte sanft: »Ich kann ihn zwischen meinen Fingern zerquetschen. Also seien Sie vorsichtig.«

»Ach, seien Sie doch kein Narr«, schnarrte Labdibdin. »Waffen, Waffen! Mit Ihnen ist es das gleiche wie mit denen auf Vhol; Waffen sind alles, woran Sie denken können.«

Ein Flimmern erschien in der Luft über dem Sockel. Labdibdin wandte sich an Dilullo und verlangte:

»Wollen Sie mir jetzt bitte erlauben fortzufahren?«

Dilullo behielt alles im Auge, den Vholaner, den Raum, Chane, das Areal ungewohnter und unbestimmbarer Gegenstände, die hier und da zur näheren Untersuchung aufgebaut waren. Er schien auch das zu beobachten, was außerhalb des Schiffes lag, sich den häßlichen grünen Himmel vorzustellen und sich zu fragen, wann die Kreuzer an ihm erscheinen würden. Er schien auf etwas zu lauschen, jenseits der gewaltigen, alles einhüllenden Stille des Schiffes.

Er nickte Chane zu, der zurücktrat. Labdibdin nahm vor sich hin brummend zwei sehr merkwürdige Handschuhe mit langen schmalen Stangen, die gebogen von einigen der Finger ausgingen. Er zog sie über und begann vorsichtig auf die Konsolentastatur einzupicken.

Ein dreidimensionales Bild baute sich in dem Flimmern oberhalb des Sockels auf. Chane starrte es an und fragte: »Was ist das für ein Ding?«

»Sie sind ein Erdenmensch und erkennen es nicht?« fragte Labdibdin. »Es wurde dort aufgenommen.«

Dilullo sagte: »Es ist eine Vogelart von der Erde. Aber was bezwecken Sie mit dieser Vorführung?«

Labdibdin knurrte: »Ihnen zu beweisen, was ich gesagt habe. Die Krii nahmen kein Leben, in keinem Fall. Sie sammelten nur Abbilder.«

Er pickte mit den Stangen auf die Tastatur ein. In schneller Folge erschienen und verschwanden Bilder . . . Insekten, Fische, Würmer, Spinnen. Labdibdin schaltete das Gerät ab, drehte sich herum, und warf die Handschuhe beiseite. Er blickte Chane und Dilullo an, ein abgespannter, bedrängter Mann unter der Hülle seiner schulmeisterlichen Arroganz.

»Ich wünschte, mir würde irgend jemand glauben. Es scheint eine Art von defensivem Verteidigungssystem gegeben zu haben, einen wirkungsvollen Deflektor, den sie einsetzen konnten, um das Schiff zu schützen. Wir konnten ihn nicht aktivieren.«

Dilullo schüttelte den Kopf. »Er würde sich hier nicht aktivieren lassen, auch wenn sie die Energie dafür hätten. Ein Schutzschirm arbeitet im Raum, aber nicht, wenn ein Schiff gelandet ist . . . die Energie wird sofort geerdet und absorbiert.«

Labdibdin nickte. »Das gleiche sagten auch unsere Techniker. Aber wie dem auch sei, eines ist sicher . . . die Krii benutzten keine offensiven Waffen!«

Chane schüttelte den Kopf. »Das ist einfach nicht möglich.«

»Ich beginne ihm zu glauben«, sagte Dilullo. »Die Krii haben Sie sie genannt? Sie haben offensichtlich ihre Aufzeichnungen entschlüsselt.«

»Einige davon«, gab Labdibdin zu. »Ich habe die besten Philologen von Vhol hier, die bis zum Zusammenbruch arbeiten. Sie haben uns gedrängt und gedrängt, bis wir soweit waren, alles hinzuwerfen, haben darauf bestanden, daß wir ihnen das liefern sollten, was sie wollten, etwas, mit dem man eine Welt auseinanderreißen kann. Sie schienen nicht halb so viel am Schiff selber interessiert zu sein... oder an den wirklichen Erkenntnissen, die wir aus ihm gewinnen könnten.« Er ließ seine Hand liebevoll über die Tischkante gleiten. »Material aus einer anderen Galaxis, einem anderen Universum. Ein anderes Periodisches System der Elemente... völlig fremdartige Lebensformen... was wir alles erfahren könnten! Aber wir müssen unsere Zeit damit vergeuden, alle Untersuchungen darauf zu konzentrieren, Waffen zu finden, die nicht existieren. Uns geht so viel verloren...«

»Eine andere Galaxis«, sagte Dilullo. »Unterschiedliches System der Elemente... da habe ich mit meiner Vermutung nicht schlecht gelegen. Wieviel wissen Sie über diese... Krii?«

»Sie hatten sich dem Lernen verschrieben. Offensichtlich hatten sie sich für ein Projekt eingeschifft, das die komplette Schöpfung studieren sollte... da drängt sich einem der Gedanke an andere Schiffe auf, die in wieder anderen Galaxien die gleiche Aufgabe an Muster-Sammlung erfüllen. Sie müssen sich auf einer unglaublich hohen technologischen Entwicklungsstufe befinden.«

»Trotzdem sind sie abgestürzt.«

»Nicht ganz. Eine Bruchlandung eher... und natürlich war dieses Schiff niemals dazu bestimmt zu landen. Irgend etwas ist geschehen. Die betroffenen Teile des Schiffes sind ziemlich stark zerstört, und die Aufzeichnungen, die sich auf den Unfall beziehen, sind naturgemäß sehr kurz und lückenhaft, aber es scheint klar, daß es eine Explosion in einer ihrer Energiezellen gegeben hat, die ihr Lebenserhaltungssystem so schwer beschädigte, daß sie nicht damit rechnen konnten, je wieder die Heimat zu erreichen. Natürlich hätte ihnen nichts in dieser Galaxis helfen können, weder als Ersatz noch zur Reparatur. Sie scheinen diese Welt vorsätzlich gewählt zu haben, weil sie isoliert und unbewohnt und gut versteckt im Nebel liegt . . . und wir haben es nur einem unglaublichen Zufall zu verdanken, daß ein vholanischer Prospektor, der nach seltenen Metallen suchte, es fand.«

»Angemessener Ort für einen Friedhof«, sagte Dilullo. »Haben Sie die Körper irgendwelcher Krii im Wrack gefunden?«

»O ja«, sagte Labdibdin. »Wir haben in der Tat einige von ihnen gefunden.« Er sah Dilullo mit einem gehetzten Blick an und fügte hinzu: »Es ist nur . . . sie scheinen nicht tot zu sein.«

17

Sie befanden sich tief im tiefsten Inneren des Schiffes und gingen einen langen Korridor entlang. Ihre Schritte klangen hohl durch das metallische Gewölbe, blieben als Echo hinter ihnen zurück, um sich in der Stille zu verlieren. Die Leuchten waren spärlich hier, mit langen halbdunklen Intervallen dazwischen.

»Wir kommen nicht sehr oft hier herunter«, sagte Labdibdin. Er sprach sehr leise, als sei er darauf bedacht, nicht von irgend etwas oder irgend jemandem außer den beiden Erdenmenschen gehört zu werden. Seine anfängliche widerborstige Feindseligkeit hatte sich um einen erstaunlichen Grad besänftigt.

Der Mann steht unter Druck, dachte Dilullo. Es ist eine Erlösung für ihn, mit jemandem reden zu können, sogar mit uns . . . sich der erdrückenden Fesseln der Geheimhaltung zu entledigen. Er ist schon zu lange hier eingesperrt, praktisch begraben in diesem Schiff mit . . . mit was immer ich um mich herum sehe, was ausreicht, die Schultern hängen und die Knie mit jedem Schritt weicher werden zu lassen. Er steht kurz davor, zusammenzubrechen, nicht besonders verwunderlich.

Ihre Schritte klangen aufdringlich laut in Dilullos Ohren und irgendwie gefährlich. Er war sich äußerst intensiv der Stille um ihn herum bewußt, der gewaltigen, lichtlosen Weite des Schiffes, das ihn umschloß. Er sah seine eigene Winzigkeit: ein Insekt, das durch das Innere eines fremdartigen Gebirges krabbelt. Was schlimmer war, er fühlte sich wie ein eindringendes Insekt, das sich ungeniert am Eigentum von irgend jemandem oder irgend etwas verging.

Dilullo fragte sich, worüber Chane nachdachte. Er ließ sich nicht viel anmerken. Diese strahlenden schwarzen Augen schienen immer gleich zu sein, aufnahmebereit für jedes Ereignis, interessiert an allem, aber niemals in sich gekehrt. Vielleicht war das ein besserer Weg, durchs Leben zu gehen, einfach alles so zu nehmen, wie es kam, Tag für Tag, Minute für Minute, niemals nachzudenken und niemals zu versuchen, unter die simple Oberfläche der Dinge zu blicken. Erst wenn man zu denken anfing, wurden die Dinge kompliziert.

Oder war Chane wirklich so gefühllos, wie er immer den Anschein erweckte? Dilullo bezweifelte das plötzlich. Labdibdin hob seine Hand. »Wir sind beinahe da«, flüsterte er. »Bitte gehen Sie vorsichtig.«

Der glatte Boden und die Wandplatten gingen in eine Reihe von sich überlappenden Ringelementen über. »Um den Stoß abzufangen«, sagte Labdibdin und vollführte mit den Händen eine ineinanderschiebende Bewegung. »Die Kammer ist zwischen einem Netz flexibler Stützen montiert, so daß beinahe nichts, was nicht gerade die absolute Zerstörung des Schiffes erreicht, sie beschädigen kann.«

Dilullo ging vorsichtig, den Fuß jeweils hoch anhebend, damit er nicht stolperte.

Ein Durchgang, offen, und weitere der trüben vholanischen Leuchten dahinter. Der Durchgang war extrem hoch und schmal. Dilullo schritt hindurch, seine Schultern stießen an beiden Seiten an.

Er hatte eine gewisse Vorstellung davon, was er zu sehen bekommen würde. Und trotzdem war er nicht im mindesten darauf vorbereitet, was er sah.

Neben ihm gab Chane einen varnischen Fluch von sich, und seine Hand bewegte sich automatisch zu seinem Strahler.

Wenn er ein echter Wolf wäre, dachte Dilullo, *würde er jetzt knurren, mit angelegten Ohren und gesträubten Nackenhaaren und den Schwanz unter den Bauch geklemmt. Und ich fühle mich jetzt gerade genauso... oder vielleicht zutreffender gesagt, ich fühle mich wie ein zitterndes Affenwesen, zusammengekauert in der Nacht, während sich die Furcht heranpirscht.*

Denn diese Dinger waren Furcht. Keine rationale Angst, die ein Überlebensmechanismus ist. Nein, dies war blinde und gedankenlose Furcht, die in die Glieder fährt, das xenophobische Zurückweichen des Protoplasmas vor allem, was entsetzlich fremdartig und merkwürdig ist.

Er konnte verstehen, warum die Vholaner nicht oft hierher kamen, um die Krii zu besuchen.

Es waren etwa hundert von ihnen. Sie saßen in ordentlichen Reihen, jeder einzelne aufrecht in einem hohen, schmalen Stuhl, in einer Haltung, die an die alten Pharaonen erinnerte: die unteren Gliedmaßen eng zusammen, die oberen, mit den langen feinen Auswüchsen, die ihnen als Finger dienten, ruhten auf den Armlehnen der Stühle. Sie trugen nur einfache Gewänder, und ihre Körper erschienen wie dunkler Bernstein, nicht nur von der Farbe, auch von ihrer Substanz her, und von der Form her hätten sie sowohl Tier als auch Gemüse sein können, oder eine Kombination von beidem, oder etwas drittes, das sich der Analyse nach den Maßstäben dieser Galaxis entzog. Sie waren hochgewachsen, extrem schlank, und sie schienen weder über Gelenke noch über Muskeln zu verfügen, sondern als Ganzes zu fließen wie das Seegras, das sich im Flutwasser biegt.

Ihre Gesichter bestanden hauptsächlich aus zwei großen, schillernden Augen in einem hohen, schmalen Schädel. Es gab Atemschlitze an den Seiten des Kopfes, und einen kleinen faltigen Mund, der in ewiger Meditation geschürzt zu sein schien.

Die Augen waren weit offen, und sie schienen, alle einhundert Paare von ihnen, direkt in Dilullos Herz zu starren.

Er drehte sich zu Labdibdin, um dem Starren auszuweichen, und sagte. »Was bringt Sie darauf, daß sie nicht tot sind? Sie scheinen erstarrt zu sein.«

Aber tief in seinem Inneren wußte er, das Labdibdin recht hatte.

»Weil«, antwortete Labdibdin, »eine der Aufzeichnungen, die entziffert werden konnten, eine Nachricht war, die sie ausgesandt haben, *nachdem* sie hier bruchgelandet waren. Sie enthielt die Koordinaten dieses Systems und lautete...«, seine Zunge fuhr nervös über seine Lippen, sein Blick wanderte die Reihen der Augen entlang..., »sie lautete, sie würden warten.«

»Sie meinen, sie... haben um Hilfe gerufen?«

»So hat es den Anschein.«

»Und sie sagten, sie würden warten?« fragte Chane. »Für mich sieht es so aus, als wäre die Hilfe nicht gekommen, und sie hätten zu lange gewartet.« Er hatte den ersten Schock uberwunden und entschieden, daß diese Dinger harmlos waren. Er ging, um eines von ihnen genauer zu betrachten. »Haben Sie jemals eins seziert, oder irgendwelche anderen Tests durchgeführt, um sicherzugehen?«

»Versuchen Sie, eines zu berühren«, sagte Labdibdin. »Machen Sie schon. Versuchen Sie es.«

Chane streckte seine Hand tastend aus. Sie verhielt mitten in der Luft, etwas fünfzig Zentimeter vom Körper der Krii entfernt, und Chane zog sie zurück und schüttelte sie. »Kalt!« sagte er. »Nein, eigentlich nicht kalt... eisig und kribbelnd. Was ist es?«

»Stase«, sagte Labdibdin. »Jeder Stuhl ist eine unabhängige Einheit mit einer eigenen Energiequelle. Jeder Insasse ist in ein Kraftfeld eingeschlossen, das ihn in Raum und Zeit einfriert... in eine kleine Warp-Blase, eine Raum-Zeit-Verwerfung, wie ein Kokon, um ihn herum verpuppt, undurchdringlich...«

»Gibt es keine Möglichkeit, es abzuschalten?«

»Nein. Der Mechanismus ist selbsteinkapselnd. Ein Überlebens-System, sehr sorgfältig konstruiert und erdacht. In einem Stase-Feld benötigen sie keine Luft und keine Nahrung, denn die Zeit ist bis zum Stillstand verlangsamt, und ihre metabolistischen Prozesse mit ihr. Sie können ewig warten, wenn sie es müssen, und sicher sein. Nichts kann zu ihnen dringen oder sie auf irgendeine Art verletzen. Nicht, daß wir sie verletzen wollten . . .« Labdibdin blickte verlangend auf die Krii. »Nur um mit ihnen zu sprechen, zu wissen, wie sie denken und funktionieren. Ich habe gehofft . . .«

Er unterbrach sich, und Dilullo fragte ihn: »Was gehofft?«

»Unsere besten Mathematiker und Astronomen haben versucht, eine Art Zeitfaktor zu berechnen. Das heißt, die Sendezeit des Hilferufes nach *ihrer* Zeit, und *ihre* Schätzung, wie lange das Rettungsschiff für die Reise benötigen würde, in unsere Zeitrechnung zu übersetzen. Es ist nicht ganz so einfach, und unsere Leute haben vier verschiedene mögliche Termine für die Ankunft des Rettungsschiffes errechnet. Einer von ihnen ist . . . ungefähr jetzt.«

Dilullo schüttelte den Kopf. »Das geht alles ein bißchen zu schnell für mich. Ich habe ein intergallaktisches Schiff, dann habe ich eine komplette Besatzung, die hier sitzt und mich anstarrt, und jetzt habe ich noch ein weiteres intergalaktisches Schiff, das auf dem Weg hierher ist. Und ankommen könnte es . . . ungefähr jetzt?«

»Wir *wissen* es nicht«, sagte Labdibdin verzweifelt. »Es ist eine unserer vier Schätzungen, und dieses ›jetzt‹ kann soviel bedeuten wie gestern, morgen oder nächstes Jahr. Aber das ist der Grund dafür, daß uns Vhol derart unter Druck setzt, nur für den Fall . . . Ich für meinen Teil habe gehofft, daß es kommt, während wir hier sind, gehofft, eine Chance zu bekommen, mit ihnen zu sprechen.«

Chane grinste. »Meinen Sie nicht, sie könnten ärgerlich sein, wenn sie sehen, daß Sie sich an ihrem Eigentum vergriffen haben?«

»Möglicherweise«, sagte Labdibdin. »Aber ihre Wissenschaftler — ich glaube, sie würden verstehen . . . nicht den Teil mit den Waffen, aber den Rest, die Suche nach Wissen. Ich glaube, sie würden verstehen, daß wir uns vergreifen *mußten*.«

Wieder schwieg er, sehr traurig. »Die ganze Sache war eine entsetzliche Verschwendung«, sagte er. »Auf die Schnelle und in Eile durchgezogen und alles aus den falschen Gründen. Mit Sicherheit die einzige Chance in meiner Lebenszeit, auch nur ein bißchen über eine andere Galaxis zu lernen, und diese einfältigen Bürokraten auf Vhol können an nichts anderes denken als ihren lächerlichen kleinen Krieg mit Kharal.«

Chane zuckte die Schulter. »Jeder hat seine eigenen Ansichten von dem, was wichtig ist. Die Kharaler wären wohl stärker daran interessiert zu wissen, daß es keine Superwaffe gibt, als etwas über fünfzig Galaxien zu erfahren.«

»Die Kharaler«, sagte Labdibdin, »sind ein engstirniger und ignoranter Haufen.«

»Das sind sie«, sagte Chane und wandte sich an Dilullo. »Die Krii sind auch keine große Hilfe. Meinst du nicht, wir sollten besser wieder nach oben gehen?«

Dilullo nickte. Er sah noch einmal zu den Rängen der nicht-toten und nicht-lebenden Kreaturen, die so geduldig dasaßen und auf ihre Wiederbelebung warteten. Er dachte, daß ihre Fremdartigkeit tiefer ging und nicht nur eine Sache der Form oder auch nur der Substanz war. Er war sich nicht ganz klar darüber, was er damit meinte, und dann dachte er: *Es sind ihre Gesichter. Nicht die Gesichtszüge. Der Gesichtsausdruck. Sie sehen so entsetzlich ruhig aus. Diese Gesichter haben niemals Leidenschaft irgendeiner Art gekannt.*

»Sehen Sie es auch?« sagte Labdibdin. »Ich glaube, sie haben sich in einer freundlichen Umwelt entwickelt, in der sie keine Feinde hatten und nicht um ihr Überleben kämpfen mußten. Sie haben nichts erobert . . . ich meine in sich selbst. Sie haben nicht gelitten und gelernt und sich von der Gewalt abgewandt, um einen besseren Weg zu finden. Es steckte einfach niemals in ihnen. Liebe ist übrigens auch nicht in ihnen, aus ihren Aufzeichnungen zu schließen. Sie scheinen vollständig ohne jegliche unkontrollierte Emotion zu sein. Das veranlaßt mich, darüber nachzudenken, ob ihre ganze Galaxis sich so völlig von der unseren unterscheidet, ohne all die Naturkatastrophen, die auf unseren Planeten verbreitet sind . . . Klimaverschiebung,

Dürre, Flut, Hungersnot, all die Dinge, die am Anfang Kämpfer aus uns gemacht und uns das Überleben als Siegerkranz gegeben haben ... oder ob die Welt der Krii ein Ausnahmefall ist.«

»Als Mensch muß ich mit den in mir steckenden Emotionen leben. Sie bereiten uns eine Menge Probleme, aber sie sind es auch, die das Leben lebenswert machen. Ich glaube nicht, daß ich die Krii besonders beneide«, sagte Dilullo.

Chane lachte und sagte: »Ich möchte nicht pietätlos sein, aber selbst unsere Toten sehen lebendiger aus als sie. Gehen wir. Ich bin es leid, angestarrt zu werden.«

Sie gingen zurück durch den hohlklingenden Korridor, und diesmal spürte Dilullo ein seltsames, kaltes Prickeln in seinem Rücken, als ob die hundert Augenpaare sie immer noch beobachteten, das Metall und das spärliche Licht durchdringend, um ihm zu folgen.

Wie mußten sie sich gewundert haben, als sie die merkwürdigen wilden Eingeborenen dieses Sternendschungels studiert hatten, die Liebenden, die Mörder, die Heiligen, die Leidenden, die siegreichen Verdammten.

»Ich glaube nicht, daß es viel bedeutet«, sagte er plötzlich, »etwas nicht zu tun, es sei denn, man wollte es sehr gerne tun.«

»Das ist, weil Sie menschlich sind«, sagte Labdibdin. »Und für einen Menschen ist totaler Friede beinahe gleichbedeutend mit dem Tod. Der Organismus verfällt.«

»Ja«, sagte Chane mit solcher Vehemenz, daß Dilullo überrascht lächeln mußte.

»Er meint nicht einfach nur Krieg, weißt du. Es gibt andere Arten zu kämpfen.«

»Richtig, aber für eine Blume, oder sagen wir einen Baum ...«

Das winzige Funkgerät in Dilullos Taschenklappe meldete sich mit Bollards Stimme: »John«, sagte es, »Bixel hat diese beiden Blips auf dem Radar.«

»Komme«, sagte Dilullo und seufzte. »Was für ein totaler Friede?«

18

Labdibdin war mit einem anderen Söldner zur Kuppel zurück-
geschickt worden, und Chane saß auf der Brücke und wartete
darauf zu erfahren, warum Dilullo ihn hier haben wollte statt
dort, wo im Augenblick die Verteidigungslinie entstand. Durch
die Tür zum Navigationsraum konnte er Bixel über den Radarschirm gebeugt sehen, der die Annäherung der Kreuzer verfolgte. Rutledge bediente den Schiff-zu-Schiff-Funk, über den
Dilullo und der Kommandant auf einem der beiden vholanischen Kreuzer miteinander sprachen.

Die vholanische Stimme kam laut und klar. *Erfahrener Kapitän*, dachte Chane, *die militärischen Tugenden Ordnung und
Disziplin und Effizienz krachten aus jedem Wort seines schlechten Galakto.*

»Ich werde Ihnen bieten diese eine Chance, sich zu ergeben.
Ihre einzige Alternative, wie Sie zur Kenntnis nehmen müssen,
ist Tod. Ich muß sicher nicht zu Ihnen hinweisen die Hoff-
nungslosigkeit, gegen zwei Kreuzer zu kämpfen.«

»Also warum es tun?« sagte Dilullo trocken. »Angenommen,
ich würde mich ergeben? Was wären Ihre Bedingungen?«

»Sie würden zurückgeführt nach Vhol zum Prozeß.«

»Juchu«, sagte Dilullo. »Wäre es nicht viel einfacher für Sie, das
Erschießungskommando gleich hier ausrücken zu lassen . . . einfacher und ohne großes Aufsehen? Aber angenommen, Sie würden uns wirklich zurück nach Vhol bringen, dann könnten wir
erwarten: entweder A — Hinrichtung wegen Herausfindens mili-
tärischer Geheimnisse, oder B — in einem vholanischen Gefängnis dahinzurotten für den Rest unseres Lebens.«

Er sah mit gehobenen Augenbrauen hinüber zu Chane.
Chane schüttelte den Kopf. Bixel, der über Interkom zuhörte,
sagte: »Sag ihm, er soll dahin gehen . . .«

»Sie hätten zumindest eine Chance, zu überleben«, sagte der
Vholaner. »Auf diese Weise haben Sie keine.«

»Meine Männer sind anderer Ansicht«, antwortete Dilullo.
»Sie sagen nein.«

Der Kreuzer-Kommandant klang ungeduldig. »Dann sind sie Narren. Unsere schweren Strahler können Ihr Schiff zerstören.«

»Sicher«, sagte Dilullo. »Nur werden Sie die nicht einsetzen, weil sie ansonsten dieses große Geschenk-Paket, das Sie beschützen sollen, ebenfalls zerstören. Warum, glauben Sie, habe ich mich so nahe daran gekuschelt? Weil ich es liebe? Sorry, Kapitän, netter Versuch.«

Es gab eine Pause. Der Kreuzerkommandant brummte etwas in leicht verärgertem Vholanisch.

»Ich glaube, er beschimpft dich«, sagte Rutledge.

»Sehr wahrscheinlich.« Dilullo beugte sich zum Mikro. »Übrigens, Kapitän, wie ist es Ihnen mit den Sternenwölfen ergangen?«

»Wir haben sie weggefegt«, sagte der Vholaner knapp. »Klarer Fall.«

»Klarer Fall«, sagte Dilullo, »aber nicht ohne irgendwelche Blessuren. Wie geht es dem anderen Knaben, dem, der so laut um Hilfe geschrien hat?«

»Ich glaube nicht, daß er sich allzu gut fühlt, John«, sagte Bixel. »Er schlägt ganz schöne Haken, so als funktionierten einige seiner Steuerdüsen nicht ganz richtig.«

Chane dachte: *Die Sternernwölfe hätten ihn erledigt, wenn der zweite Kreuzer nicht aufgetaucht wäre. Es muß ein großartiger Kampf gewesen sein.*

Er fragte sich, ob Ssanders Brüder ihn überlebt hatten. Hatten sie, würde er ihnen eines Tages entgegentreten müssen. Sie würden nicht aufgeben, und früher oder später...

Aber er war stolz auf sie.

Der vholanische Kommandant gab Dilullo gerade eine allerletzte Chance, sich zu ergeben, und Dilullo sagte nein.

»Ihr mögt uns kriegen, mein Freund, aber nicht ohne Kampf.«

»Sehr schön«, sagte der Kommandant, und seine Stimme klang jetzt so kalt, flach und hart wie eine Stahlklinge. »Wir werden kämpfen. Und zwar ohne Pardon, Dilullo. Ohne Pardon.«

Er unterbrach die Verbindung. Chane stand auf, ungeduldig,

sein Magen zog sich erwartungsvoll zusammen. Rutledge blickte zu Chane hinauf.

»Denen hast du es gegeben, John. Nebenbei, hast du überhaupt irgendeinen Plan, uns hier herauszubringen?«

»Irgendwas wird mir schon einfallen«, sagte Dilullo. »Hast du sie auf dem Schirm, Bixel?«

»Hab' ich. Sie kommen jetzt rein . . .«

»Welchen Kurs?«

Bixel sagte es ihm, und Dilullo ging zum Sichtfenster. Chane schloß sich ihm an. Zunächst konnten sie in der schmutzig grünen Nebelnacht nichts erkennen. Dann erschienen zwei dunkle Formen, sehr weit entfernt und klein. Sie wuchsen mit enormer Geschwindigkeit. Das ständige Kreischen des Sturmes draußen wurde von einem dröhnenden rollenden Donner übertönt. Das Söldnerschiff erzitterte einmal, zweimal. Die Kreuzer fegten über sie hinweg, hoch über den Kamm des Gebirges, gingen in den Landeanflug, fuhren ihre Landegestelle aus und verschwanden hinter dem Gebirgszug.

Dilullo stieß einen langen Seufzer aus, so als hätte er den Atem angehalten. »Ich hatte gehofft, daß sie das tun.«

Chane starrte ihn an, überrascht. »Sie konnten nicht anders, wenn sie klug waren. Sie konnten ihre schweren Geschütze nicht gegen uns einsetzen . . . wie du ihnen gesagt hast . . . aber wir sind durch nichts behindert. Wir hätten sie mit unseren mobilen Raketenwerfern bombardieren können. Ich hatte gehofft, daß sie dumm genug wären, in unserer Reichweite zu landen.«

»Vielleicht haben sie genau das getan«, sagte Dilullo. Er deutete auf die Berggipfel, deren zerklüftete Finger den Sand zurückhielten. »Denkst du, du könntest da hochklettern?«

Er weiß, daß ich es kann, dachte Chane . . . und sagte: »Das hängt davon ab, wieviel ich mit mir schleppen muß.«

»Wenn du zwei Männer zur Hilfe hättest, könntest du einen von diesen mobilen Raketenwerfern auf den Gipfel schaffen?«

»Aha«, sagte Chane. »Jetzt verstehe ich. Der Fels schirmt uns vor ihren schweren Geschützen ab, so daß sie uns nicht aufhalten könnten, wenn wir uns in einer niedrigen Flugbahn davonmachten. Aber sie könnten sich direkt dicht an unsere Fersen heften und uns im Raum erwischen, es sei denn . . .«

»Genau«, sagte Dilullo. »Es sei denn, sie könnten nicht.«

Chane sagte: »Ich bringe ihn da rauf.«

Dilullo nickte und zog den Funkknopf zum Mund. »Bollard?«

Bollards Stimme kam leise und schwach zurück. »Ja, John.«

»Such mir die beiden stärksten Männer aus, nimm ein paar Stücke Lastseil, bau einen der Raketenwerfer aus dem Verteidigungsring aus und leg alles zusammen. Vergiß die Munition nicht, für etwa zehn Runden.«

Chane sagte: »Besser für zwanzig.«

»Du wirst kaum Zeit haben«, entgegnete Dilullo. »Sie werden ihre Laser anwerfen und dich vom Gipfel pusten, bevor du so oft schießen kannst.« Dann hielt er inne, sah Chane an. Und sagte in den Funkknopf: »Besser für zwanzig.«

»Du brauchst keine Männer«, sagte Bixels Stimme, »du brauchst nicht einmal Maultiere. Du brauchst . . . ja, John. Sofort.«

Dilullo ging zur Tür des Navigationsraumes. »Bleib am Gerät, Bixel.«

Bixel sah ihn mit großen Augen an. »Aber wozu? Die Kreuzer sind jetzt unten, und er sagte, die Sternenwölfe sind weg, also . . .«

»Bleib einfach am Gerät.«

Bixel lehnte sich im Sitz zurück. »Wenn du es sagst, John. Das ist immer noch besser, als auf sich schießen zu lassen.«

»Willst du, daß ich am Funk bleibe?« fragte Rutledge.

»Nein.«

Rutledge zuckte die Schultern. »Fragen kostet nichts. Aber ich hätte es mir denken können. Du bist ein harter Mann, John.«

Dilullo grinste düster. »Wollen mal sehen, wie hart.«

Er winkte Chane herüber. Sie gingen von der Brücke hinunter zur offenen Schleuse und hinaus in die kalte, sandige Luft und den fliegenden Sand. Die Söldner waren entlang des Verteidigungsrings postiert, hatten sich hinter dem Schutzzaun eingegraben oder bemannten die Geschützstellungen. Sie warteten still, sah Chane. Gute, harte, rauhe Profis. Sehr bald würden sie um ihr Leben kämpfen . . . sobald die Männer der Kreuzer sich organisiert und den langen Marsch um den Fuß des Gebirgszuges hinter sich gebracht hatten. Aber noch geschah nichts, und so waren sie entspannt, zogen ihre Kragen zusammen, um den Sand daran zu hindern, einzudringen, prüften ihre Waffen, unterhielten sich unbekümmert untereinander.

Ein weiterer Tag, eine weitere Münze, dachte Chane, und nicht die schlechteste Art, zu Geld zu kommen. Es war natürlich nicht gerade die Sternenwolf-Art. Es war ein Job und kein Wettkampf. Dies hier waren angeheuerte Männer, im Gegensatz zu den freibeuterischen Herrschern der Sternenstraßen, die keine Herren hatten. Aber da ihm das eine, zumindest für gewisse Zeit, vorenthalten war, war das andere gar kein schlechter Ersatz.

»Glaubst du immer noch, daß du es schaffen kannst?« fragte Dilullo. Sie gingen die Linie entlang auf die Stelle zu, an der Bollard einen der mobilen Raketenwerfer aus seiner Stellung löste und Befehle über neu gruppieren und die Lücke schließen brüllte. Chane sah hinauf zu den Bergrücken, seine Augen gegen den Staub zusammengekniffen.

»Ich schaffe es«, sagte er. »Aber ich würde nur ungern auf halbem Weg erwischt werden.«

»Warum hängst du dann noch hier rum?« fragte Dilullo. »Konzentrier dich auf ihre Triebwerke. Versuch, beide lahmzulegen, aber nimm dir den unbeschädigten Kreuzer zuerst vor. Achte auf Gegenfeuer, und wenn es kommt, lauf wie der Teufel. Wir warten auf dich . . . aber nicht allzu lange.«

»Kümmere du dich darum, sie hier rauszuhalten«, sagte Chane. »Wenn sie den Schutzring durchbrechen, haben wir nichts mehr, wohin wir zurücklaufen können.«

Die Transportseile waren da, dünnes, hartes Material von geringem Gewicht. Chane zog sich eines über die Schulter und nahm ein Ende des Werfer-Gestells auf. Bollard hatte ihm, wie befohlen, zwei seiner vom Aussehen her stärksten Männer besorgt: Sekkinen und einen Riesen namens O'Shanning. Sekkinen ergriff das andere Ende des Gestells.

O'Shanning belud sich mit der Raketenmunition ... unangenehme kleine Dinger mit nicht-nuklearen, aber ausreichend zerstörerischen Sprengköpfen. Sie konnten einen schweren Kreuzer nicht umbringen. An den richtigen Stellen eingesetzt, konnten sie ihm aber ziemlich weh tun.

Chane sagte: »Los.« Und los ging's. Sie rannten durch den weichen Sand unter dem drohenden Schatten des Monsterschiffes und dann unter seinem zerstörten Bug hervor, an den geduckten Kuppeln vorbei, in denen die Vholaner festgehalten wurden. Chane erinnerte sich plötzlich an Thrandirin und die beiden Generäle und fragte sich, was Dilullo wohl mit ihnen vorhatte.

Sekkinen begann zu prusten und zu stolpern, und Chane verringerte unwillig sein Tempo. Er mußte es langsamer angehen lassen, oder er würde das Team vorzeitig auslaugen. O'Shanning hatte weniger Probleme, denn er hatte die Hände frei. Trotzdem schwitzte er auch, und seine Schritte hatten ihre Leichtigkeit verloren. Sie kamen in dem Sand schlecht voran. Das Gewicht ihrer Lasten ließ sie darin einsinken, sie wateten hindurch, und er umspülte, umströmte und umklammerte ihre Knöchel. Endlich erreichten sie soliden Felsen, direkt unter den drohend aufragenden Felswänden.

»In Ordnung«, sagte Chane. »Setzt euch eine Minute, während ich mich umsehe.« Er gab vor, heftig zu atmen, um ebenso erschöpft wie sie zu erscheinen, und entfernte sich langsam, legte den Kopf in den Nacken und blickte die schwarzen Felswände hinauf.

Sie sahen ziemlich steil aus, ragten als eine monolithische Wand gerade nach oben, bis sie an der Spitze in jene erodierten Gipfel zersprangen, die den hindurchstürmenden Wind aufrissen und ihn kreischen ließen.

O'Shanning sagte mit seiner ruhigen, brummigen Stimme: »John muß meschugge sein. 's is nich möglich, da hoch zu klettern, nich mit dem ganzen Zeug am Hals.«

»Egal ob mit oder ohne«, sagte Sekkinen. Er sah Chane nicht gerade liebevoll an. »Es sei denn, du könntest ein Wunder geschehen lassen.«

19

Chane kannte sich mit Wundern nicht aus, aber mit Kraft und Schwierigkeiten und dem, was ein Mensch zustande bringt, wenn er dazu gezwungen ist. Nein, nicht ein Mensch, ein Sternenwolf. Ein Varnier.

Er ging am Fuß des Gebirgszuges entlang, nahm sich Zeit. Er wußte, daß die Männer aus den Kreuzern sich jetzt auf den Weg machten, und daß — wenn er den Kamm des Berges nicht erreicht hatte, bevor sie um den Berg herum waren und ihn entdeckten — sie ihn entweder mit dem Werfer oder der Munition oder einem der anderen Männer, der hilflos mitten in der Wand baumelte, erwischen würden, und das würde bös enden. Trotzdem überstürzte er nichts.

Der Sturm würde ein Problem darstellen da oben. In der tödlichen Stille unter der Felswand konnte er hinaufschauen und den Wind sehen, sichtbar gemacht durch den Sand, den er in rauchigen Wolken von den Dünen mitbrachte. Ein Sturm wie dieser konnte einen Mann mit sich reißen oder, ebenso mühelos, einen Raketenwerfer, auch wenn er sie eher fallenlassen würde.

Er wünschte, die ertrunkene Sonne schiene etwas heller. Das war einer der Gründe, warum die Felswand so glatt erschien. Das gleichmäßig düstere Licht ließ seine Verwerfungen und Unebenheiten nicht sichtbar werden. Grün auf schwarz ... das brachte keinem von beiden etwas. Chane begann diese Welt zu hassen. Sie hatte etwas gegen ihn. Sie hatte etwas gegen Leben in jeder Form. Das einzige, wogegen sie nichts hatte, waren Sand und Felsen und Wind.

Er spuckte den Geschmack von Sand und bitter schmeckender Luft aus seinem Mund, ging ein Stück weiter, und fand, wonach er gesucht hatte.

Als er sicher war, daß er es wirklich gefunden hatte, hob er den Knopf zum Mund und sagte: »Ich werde sehen, was ich in Sachen Wunder tun kann. Bringt das Zeug her.«

Er arrangierte das aufgerollte Seil und seine restliche Ausrüstung so um, daß nichts hervorschaute, was sich festhaken konnte, und begann den Kamin hinaufzuklettern, den er in der Felswand entdeckt hatte.

Der erste Teil war nicht so hart. Problematisch wurde es, als der Kamin ausgewaschen war und ihn mit einer beinahe glatten, beinahe vertikalen Oberfläche konfrontierte — auf halbem Weg zum Gipfel. Er hatte gedacht, die Oberfläche würde rauh genug sein, ihm eine Chance zu geben, und er hatte darauf spekuliert. Wie es aussah, standen seine Aktien ziemlich schlecht.

Er erinnerte sich an eine andere Kletterpartie, die Außenwand des Stadtberges von Kharal hinunter. Er wünschte von ganzem Herzen, er hätte jetzt jene Wasserspeier hier.

Zentimeter für Zentimeter erkämpfte er sich seinen Weg nach oben, meist durch die bloße Kraft seiner Finger. Nach einer Weile fand er sich selbst in einer Art hypnotischer Benommenheit, ausschließlich gerichtet auf die Spalten und Ausbuchtungen des Felsens. Seine Hände schmerzten scheußlich, seine Muskeln waren wie Seile kurz vor dem Zerreißen gespannt. Er hörte eine Stimme in seinem Kopf, die immer wieder sagte: *Sternenwolf, Sternenwolf.* Und er wußte, daß sie ihm sagte, daß ein Mensch jetzt aufgeben, fallen und sterben würde, daß er aber ein Sternenwolf war, ein Varnier, zu stolz, um zu sterben wie ein gewöhnlicher Mensch.

Der kreischende Wind machte ihn taub. Mit so plötzlicher Gewalt rupfte und zog der Sturm an dem Haar auf seinem Kopf, daß es ihn beinahe vom Felsen geweht hätte. Eine Welle von Panik durchlief seinen Körper. Wie ein Schuß biß herangepeitschter Sand in sein Fleisch. Er preßte sich eng an die Felsoberfläche, blickte nach oben — und sah, daß er den Gipfel erreicht hatte.

Aber er war noch nicht am Ziel. Er mußte sich noch ein Stück weiter hindurchwinden, seitlich jetzt, unterhalb des Bergkammes, bis er im Windschatten eines Gipfels war. Er kletterte aufwärts in eine Art Nest in dem verwitterten Felsen und saß dort, nach Luft schnappend und zitternd, fühlte den Felsen unter sich durch die Gewalt des Windes vibrieren. Lachend verfluchte er Dilullo. *Ich werde das stoppen müssen*, dachte er. *Ich lasse es zu, daß er mich immer wieder über den Tisch zieht, weil ich damit angeben muß, wie gut ich bin. Er weiß das und nutzt mich aus. Schaffst du das, fragt er, und ich sage ja...*

Und ich hube es geschafft!

Eine schwache Stimme erklang unter dem Lärm des Sturms. »Chane! Chane!«

Erst jetzt wurde er sich bewußt, daß sie schon seit einigen Minuten gerufen hatte. Er zog den Funkknopf zu sich.

»Sekkinen, ich lasse jetzt das Seil hinunter. Ihr könnt von mir aus eine Münze werfen, aber einer von euch muß mit einem weiteren Seil hier rauf kommen. Der dritte Mann bleibt unten und macht fest. Wir müssen das Zeug hochziehen.«

Er fand einen massiven, stabilen Fels-Zahn, um das Seilende daran zu befestigen. Offensichtlich hatte O'Shanning die richtige Seite der Münze gewählt — oder die falsche —, jedenfalls war es sein langgestreckter Körper, der schlaksig den Berg heraufkam, sein rot-goldenes Haar und sein zerfurchtes Gesicht, die über dem Rand des Nestes erschienen. Chane lachte, jetzt ohne jede Verstellung schwer atmend. »Beim nächsten Mal werde ich sie bitten, mir einen kleinen Schwächling zu schicken. Du hast ein ganz schönes Gewicht, mein Freund.«

»Aye«, sagte O'Shanning. »Das habe ich.« Er streckte seine Arme. »Ich habe auch gezogen.«

Sie schickten das zweite Seil nach unten. Sekkinen befestigte beide am Werfer, und sie zogen ihn nach oben und hievten ihn über den Rand in die Aushöhlung. Dann brachten sie die Munitionsgurte nach oben.

»In Ordnung, Sekkinen«, sagte Chane in den Funkknopf. »Jetzt sind Sie dran.«

Sie zogen ihn in der halben Zeit nach oben, einen großen, rauhen und sehr unglücklichen Mann, der in die Vertiefung krabbelte und murrte, er sei nicht dazu gemacht, einen Affen auf dem Seil abzugeben. Die Aushöhlung war jetzt ziemlich übervölkert. Chane knotete ein Seil um seine Taille und ein zweites um seine Schultern. Das andere Ende des letzteren war an den Werfer gebunden.

»Das ist der knifflige Teil«, sagte er. »Wenn ich runterfalle, fangt mich auf.«

Während Sekkinen das Seil ablaufen ließ und O'Shanning das Ende des um den um den Fels-Zahn laufenden Seils hielt, glitt Chane hinaus aus der Vertiefung und über den Rand, hinein in die volle Wucht des Sturms.

Er glaubte nicht, daß er es schaffen würde. Der Sturm war entschlossen, ihn wie einen tanzenden Drachen ins Nichts zu tragen. Er hämmerte und trat auf ihn ein, nahm ihm den Atem und bombardierte ihn mit Sand. Chane klammerte sich dicht an den Gipfel, fand jetzt genügend Haltemöglichkeiten, wo die volle Kraft der Erosion am Werk gewesen war, und arbeitete sich hinüber auf die Windseite. Er war jetzt am Rand der großen Düne, und es war wie das Reiten einer der gewaltigen Wellen vor Varnas Lavastränden, hoch und schwindelerregend, atemlos in der Gischt. Nur daß die Gischt hier hart und trocken war, ihm die Haut von Händen und Gesicht abzog. Er kauerte und krabbelte darin herum, und im selben Augenblick preßte ihn der Wind platt an den Felsen, und er konnte die Kreuzer unten am Fuß der Düne liegen sehen.

Er konnte auch das Ende einer Reihe von bewaffneten Männern sehen, die um das Ende des Gebirgszuges aus seinem Sichtfeld marschierten.

Auch auf dieser Seite des Gipfels gab es Vertiefungen, wo die weicheren Teile des Felsens weggenagt worden waren. Der Sturm blies ihn regelrecht in eines hinein, und er beschloß, sich nicht dagegen zu wehren; diese würde so gut sein wie jede andere. Er sprach in seinen Funkknopf.

»In Ordnung«, sagte er. »Auf und drüber, und paßt auf euch auf.«

Er verschaffte sich Halt in der Aushöhlung, direkt an der Vorderseite, seinen Rücken gegen eine Wand, die Füße gegen eine andere gestemmt. Er ergriff das zweite Seil und begann es einzuziehen, Hand über Hand.

Und währenddessen betete er, daß der Werfer seinen Freunden nicht entglitt und den Berg hinabstürzte — denn wenn er das tat, würde er ihn mit sich ziehen.

Es fühlte sich an, als zöge er den Felsen selbst. Nichts bewegte sich, und er fragte sich, ob Sekkinen und O'Shanning es nicht fertigbrachten, den Werfer aus eigener Kraft hochzuheben und über diese entscheidenden wenigen Zentimeter des Bergkammes zu bringen, von wo aus er ihn übernehmen konnte. Dann, plötzlich, ließ die Spannung des Seils nach und der Werfer kam in einem Sandschauer auf ihn zugesprungen, und er rief ihnen zu, sie sollten ihn unter Kontrolle halten. Schlitternd und schleudernd langsamer werdend, kam der Werfer zum Stillstand, die Munitionsgurte hinter sich herziehend.

Chane stieß einen Seufzer der Erleichterung aus. »Danke«, sagte er. »Jetzt geht zurück zum Schiff, schnell. Die Vholaner sind unterwegs.«

Er manövrierte den Werfer vor der Vertiefung in Position, ein Zwei-Mann-Job. Während er das tat, antwortete O'Shannings Stimme zum Verrücktwerden langsam, es »währ nisch rischtisch, ohne disch zu gehen«.

Verzweifelt schrie Chane in den Funkknopf.

»Bollard!«

»Ja?«

»Ich bin in Position. Würdest du diesen beiden edlen Maultieren sagen, daß sie abhauen sollen. Ich kann schneller rennen als sie, ich hätte eine bessere Chance als sie. Wenn diese Laser loslegen, will ich nicht auf irgend jemanden warten müssen.«

Bollard sagte: »Er hat recht, Jungs. Kommt wieder herunter.«

Aus den Geräuschen, die er daraufhin hörte, schloß Chane, daß, da dies schließlich ein Befehl gewesen war, Sekkinen und O'Shanning sich deutlich schneller die Seile hinunter bewegten, als sie raufgekommen waren. Er war mit dem Auslegen der Munitionsgurte fertig und legte den ersten in den Werfer ein.

»Chane«, sagte Bollard, »die Kolonne ist gerade in Sicht gekommen.«

»Jau. Falls ich ihn nicht wiedersehen sollte, sag Dilullo...«

Dilullos Stimme schaltete sich ein. »Ich höre.«

»Ich glaube, jetzt nicht«, sagte Chane, »ich bin zu beschäftigt. Die Kreuzer sind praktisch direkt unter mir. Der Sturm ist mörderisch, aber diesen Raketen ist der Wind egal... einer der

Kreuzer hat ganz schön was einstecken müssen. Ich kann es sehen.«

Er lachte. Gut für die Sternenwölfe! Er richtete die Zielerfassung exakt auf die Antriebsdüsen-Einheit des unbeschädigten Kreuzers aus.

Dilullos Stimme sagte: »Ich setze jetzt eine halbe Einheit darauf, daß du nicht mehr als zehn Schuß schaffst.«

Dilullo verlor. Chane hatte die ersten zehn in so rasender Folge draußen, daß der erste Laser nicht ansprang, bevor er sich von den zerstörten und rauchenden Düsen des ersten Kreuzers ab- und den bereits leicht in Mitleidenschaft gezogenen des zweiten zugewandt hatte. Der starke Laserstrahl begann sich seinen Weg den Bergkamm entlangzubeißen ... sie hatten ihn noch nicht exakt ausgerichtet, aber in einer Minute würden sie soweit sein. Fels und Sand explodierten in Rauch und Donner. Chane schaffte noch vier weitere Abschüsse, und der zweite Laser erwachte zum Leben und verwandelte die Düne keine zehn Meter unter ihm in ein Inferno. Dann, plötzlich, erloschen die Laser, schwieg der Werfer, und kein Kampfgeräusch war mehr zu hören.

Und ein großer Schatten zog über sie hinweg und löschte die Sonne aus.

20

Unheimliche Stille. Unheimliches Zwielicht. Chane kauerte in der Vertiefung, seine Nackenhaare aufgestellt. Er versuchte den Werfer zu benutzen, aber der blieb tot unter seinen Handgriffen, als wäre der Energie-Pack, der die Abzugmechanik mit dem Strom versorgte, plötzlich leer.

Die Laser-Stände der Kreuzer blieben dunkel und still.

»Bollard!« rief Chane in den Funkknopf. »Dilullo! Irgendwer!«

Keine Antwort.

Er probierte seinen Strahler aus, auch der war tot.

Er sah in den Himmel hinauf und konnte nichts erkennen, außer, daß irgendwo da oben im Dunkel und Sternenstaub der Nebelnacht etwas zwischen dem Planeten und der Sonne hing.

Er kämpfte sich aus der Vertiefung heraus und zurück über den Kamm auf die andere Seite, ergriff seine Rettungsleine, hing für schreckliche Sekunden frei in der Luft, als der Wind ihn um die Ecke riß und ihn an seinen Ausgangspunkt zurückwarf. Er konnte das Söldnerschiff sehen, den Verteidigungsring und weit zu seiner Linken die Männer des vholanischen Kreuzers, aufgefächert zur Angriffsformation mit Nahkampf-Bewaffnung. Ein paar von den Gas-Granaten der Söldner waren offensichtlich kurz zuvor zwischen ihnen eingeschlagen, denn einige von ihnen taumelten in der charakteristischen Weise herum und Rauchschwaden wurden noch vom Wind davongetragen. Abgesehen davon standen alle nur da und starrten in den Himmel und fummelten an Waffen herum, die auf unerklärliche Weise aufgehört hatten zu funktionieren.

Chane kletterte am Seil hinunter, eine Hand über die andere legend, zum Fuß des Gebirgszuges, und begann zu laufen.

Draußen in der Ebene, im Zwielicht des großen Schattens, schienen die Vholaner von einem plötzlichen, panikartigen Verlangen nach Zusammengehörigkeit ergriffen zu werden. Ihre ausgeschwärmte Angriffslinie wich zurück, zog sich um sich selbst zusammen. Sie verwandelte sich in eine Masse verängstigter Menschen, einen Angriff von diesem Was-auch-immer erwartend und demoralisiert durch die Erkenntnis, daß sie, abgesehen von ihren bloßen Händen und Taschenmessern, jeglicher Möglichkeit beraubt worden waren, sich selbst zu verteidigen. Chane konnte ihre Stimmen, dünn und weit entfernt, durch den Wind schreien hören.

Er wußte, wie sie sich fühlten. Nackt und bloß, und schlimmer als das ... der Gnade von etwas oder jemandem ausgeliefert, wogegen sie machtlos waren — wie kleine Kinder mit Pappschwertern gegen einen militärischen Angriff. Er mochte es auch nicht. Es machte ihm Angst, ein Gefühl, mit dem er nicht vertraut war.

Er hörte Befehle, die die Söldner-Linie entlanggeschrien wurden. Sie hatten damit begonnen, sich zum Schiff zurückzuziehen, ihre nutzlos gewordenen Waffen mit sich ziehend. Aber als er die Kuppeln passierte, traf er auf Dilullo und eine Gruppe von Männern.

»Das Krii-Rettungsschiff?« fragte Chane.

»Muß es wohl sein«, sagte Dilullo. »Nichts sonst . . .«

Er blickte himmelwärts, sein Gesicht zeigte eine kränkliche Färbung in der unnatürlichen Dämmerung. »Das Radar funktioniert nicht. Nichts funktioniert. Nicht einmal die Handlampen. Ich will mich mit Labdibdin unterhalten.«

Chane ging mit ihnen zu den Kuppeln. Es war dunkel drinnen, und der Lärm einer beginnenden Panik war zu hören. Rutledge hatte Sekkinen als Wachtposten ersetzt und kam, sobald er Dilullo sah, auf ihn zugerannt und verlangte zu wissen, was eigentlich los sei.

»Mein Strahler funktioniert nicht und auch nicht der Funkknopf . . . ich habe versucht, jemanden zu erreichen . . .«

»Ich weiß«, sagtet Dilullo und deutete auf die Tür. »Laß sie raus.«

Rutledge starrte ihn an. »Und was ist mit den Vholanern? Was ist mit dem Angriff?«

»Ich glaube nicht, daß es jetzt einen Angriff geben wird«, sagte Dilullo und fügte vor sich hin murmelnd hinzu: »Zumindest hoffe ich das.«

Rutledge ging zurück und öffnete die Tür. Die Vholaner quollen in einer ungeordneten Masse daraus hervor und hielten dann inne. Auch sie begannen in den Himmel zu starren und zu brabbeln. Ihre Stimmen klangen jetzt eigenartig gedämpft.

Dilullo rief nach Labdibdin, und im nächsten Moment kämpfte der sich durch die Menge, einige andere Wissenschaftler im Schlepptau.

»Es ist das Schiff«, sagte Labdibdin. »Es muß so sein. Diese Kraft hat jede Energieversorgung blockiert . . . und auch alle Waffen . . . ist es nicht so?«

»So ist es.«

». . . ist eine reine Verteidigungseinrichtung, und die Krii sind

Meister der nichtzerstörerischen Verteidigung. Es wurden Waffen eingesetzt, nicht wahr? Ich konnte die Laser auf dem Berg hören. Also haben sie die Kämpfe gestoppt.«

»Ja«, sagte Dilullo. »Sie sind der Krii-Experte. Was schlagen Sie vor, sollen wir jetzt tun?«

Labdibdin blickte hinauf zu dem schwebenden Schatten und dann auf das große dunkle Wrack, dessen massiger Körper den Großteil der sandigen Ebene ausfüllte.

»Sie nehmen kein Leben«, sagte er.

»Sind Sie sicher, oder hoffen Sie das nur?«

»Alle Erkenntnisse . . .«, begann Labdibdin. Die Macht und spürbare Nähe des Krii-Schiffes ließen ihn ehrfurchtsvoll schweigen.

Chane sagte: »Was macht das für einen Unterschied? Wir haben nichts mehr außer unseren Klauen und Zähnen. Es liegt bei ihnen, ob sie uns töten oder nicht.«

»Dies vorausgesetzt«, sagte Dilullo, »was denken Sie, Labdibdin?«

»Ich bin *sicher*, daß sie kein Leben nehmen«, sagte Labdibdin. »Ich bin bereit, mit meinem eigenen Leben dafür zu bürgen. Ich glaube, wenn wir keinen Widerstand leisten oder sie irgendwie provozieren, wenn wir zurück in unsere Schiffe gehen und . . .« Er machte eine hilflose Geste, und Dilullo nickte.

»Und abwarten, was passiert. In Ordnung. Würden Sie diese Nachricht den Kreuzerkommandanten überbringen? Sagen Sie ihnen, daß es das ist, was wir tun werden, und bringen Sie sie, so nachdrücklich wie Sie können, dazu, gescheit zu sein und das gleiche zu tun. Es scheint ziemlich offensichtlich, daß uns diese ganze Sache sowieso aus den Händen genommen wurde.«

»Ja«, sagte Labdibdin. »Nur . . .«

»Nur was?«

»Einige von uns möchten vielleicht hierher zurückkommen . . . um zu beobachten.« Er blickte wieder auf das gewaltige Wrack, in dessen dunklem Bauch die hundert Krii saßen und warteten. »Nur um zu beobachten. Und aus der Ferne.«

Die vholanischen Wissenschaftler strömten über die Ebene

auf die herumirrenden Kreuzerbesatzungen zu. Chane, Dilullo und die anderen Söldner eilten zum Söldnerschiff zurück.

»Wie ist es auf der Klippe gelaufen?« fragte Dilullo im Laufen.

»Gut«, sagte Chane. »Sie werden einige Zeit für die Reparaturen an den Kreuzern brauchen ... keiner von ihnen ist in der Lage abzuheben.« Er grinste ironisch. »Dein Plan hat hervorragend funktioniert. Wir können jetzt jederzeit starten.«

»Wie schön«, sagte Dilullo. »Abgesehen davon, daß wir kein bißchen Energie haben.«

Beide blickten himmelwärts.

»Ich fühle mich wie eine Maus«, sagte Dilullo.

Rutledge schüttelte sich. »Ich auch. Ich hoffe, euer vholanischer Freund hat recht, und die Katze ist kein Fleischfresser.«

Dilullo wandte sich Chane zu. »Bist du jetzt nervös?«

Chane wußte, worauf er anspielte. *Sternenwölfe werden nicht nervös.* Er bleckte die Zähne und sagte: »Ich bin nervös.«

Sternenwölfe sind stark und deshalb werden sie nicht nervös. Die Schwachen werden nervös, und heute bin ich schwach, und ich weiß es. Zum ersten Mal in meinem Leben. Ich würde am liebsten ihr großes Schiff mit meinen Klauen vom Himmel holen und es zerreißen, und es macht mich krank, daß sie mich hilflos gemacht haben.

Und es war nicht einmal anstrengend für sie. Sie haben einfach irgendwo einen Knopf gedrückt, und die Tiere waren unter Kontrolle.

Er erinnerte sich an die leidenschaftslosen Gesichter der Krii und haßte sie.

Dilullo sagte sanft: »Schön zu sehen, daß es etwas gibt, das dich zurechtstutzen kann. Bist du müde, Chane?«

»Nein.«

»Du bist schnell. Renn voraus und hol Thrandirin und die Generäle aus dem Schiff. Sag ihnen, sie sollen sich mit dem Rest der Vholaner zum Teufel scheren. Wenn die Krii sich irgendwann entschließen, uns unsere Energie zurückzugeben, will ich hier weg. Und ich habe keine Lust, unterwegs anzuhalten, um unsere Gäste auf ihrem Heimatplaneten abzusetzen. Ich glaube nicht, daß uns das gut bekommen würde.«

»Ich bezweifle es«, sagte Chane und rannte davon.

Während er lief, dachte er. *Ich tue es schon wieder. Warum habe ich ihm nicht einfach gesagt, daß ich erschöpft bin? Hochmut, mein Junge. Als du ein kleiner Junge warst, hat dir dein Vater immer gesagt, was vor einem Fall kommt.*

Ich denke, er hatte recht. Es steckte Hochmut in dem, was mich während des Überfalls dazu getrieben hat, mit Ssander zu kämpfen, als er versuchte, meinen Anteil an der Beute zu kürzen.

Und hier bin ich. Kein Sternenwolf mehr, aber auch kein richtiger Söldner... nur von ihnen geduldet... und im Moment nicht einmal ein Mensch. Nur eine Plage für die Krii. Und wenn das kein Fall ist...

Er erreichte das Schiff und kämpfte sich seinen Weg durch die Söldner, die Waffen und Ausrüstungsteile im Schiff verstauten in der Hoffnung, daß sie eines Tages wieder funktionieren würden. Es war stockdunkel hier drinnen, das einzige Licht kam durch die geöffneten Schleusen herein, die sich logischerweise nicht schließen würden. Er tastete sich zu der Kabine durch, in der die drei Vholaner eingesperrt waren, ließ sie heraus und führte sie hinunter. Und als sie draußen standen, beobachtete er ihre Gesichter und grinste.

»Ich verstehe nicht«, sagte Thrandirin. »Was geht hier vor? Ich sehe, wie sich unsere eigenen Leute kampflos zurückziehen, und das Licht ist merkwürdig...«

»Das ist richtig«, sagte Chane und deutete auf den gewaltigen Körper des gestrandeten Krii-Schiffes. »Es ist noch jemand gekommen, der sich dafür interessiert. Jemand, der mächtiger ist als wir. Ich glaube, Sie können ihm einen Abschiedskuß geben«, er wies himmelwärts, »denn da oben ist jetzt noch eines von der gleichen Sorte.«

Die Vholaner starrten ihn an wie drei glubschende Nachtvögel in der bizarren Dämmerung. »Wenn ich Sie wäre«, sagte Chane, »würde ich mich in Bewegung setzen. Sie können die ganze Angelegenheit mit Labdibdin durchsprechen... während wir alle warten.«

Sie gingen. Chane drehte sich um, half beim Beladen, das komplett von Hand erfolgen mußte.

Sie konzentrierten sich auf die wertvollsten Stücke und arbeiteten so schnell sie konnten, so hatten sie einen guten Teil der Arbeit erledigt, als ein neues Geräusch die Luft durchzog. Chane blickte auf und sah ein großes, mattgoldenes Ei aus den schemenhaften Wolken zu ihnen heruntersinken.

Mit ruhiger Stimme sagte Dilullo: »Ins Schiff. Stellt einfach alles ab und geht.«

Nur ungefähr ein Drittel der Männer arbeitete draußen, gab die Ausrüstung durch die Lastenschleuse über eine lange menschliche Kette weiter, die sich bis zum Frachtraum erstreckte. Sie taten, was Dilullo gesagt hatte, und Chane dachte, daß er noch nie gesehen hatte, wie ein Bereich so schnell geräumt wurde. Er folgte Dilullo und Bollard die Stufen hinauf, bewegte sich vielleicht etwas eleganter, aber nicht viel. Chanes Herz pochte auf eine Art, wie es das nicht mehr getan hatte, seit er ein Kind gewesen und aus einem Alptraum erwacht war, und da war ein kalter, unangenehmer Knoten in seinem Inneren.

Die offene und nicht verschließbare Schleusenkammer schien fürchterlich ungeschützt.

»Das ganze verdammte Schiff steht offen«, murrte Bollard. Schweiß lag auf seinem runden Mondgesicht, und er wirkte kalt. »Sie können einfach reinspazieren . . .«

»Weißt du vielleicht irgendwas, das wir dagegen tun können?« fragte Dilullo.

»Schon gut«, sagte Bollard. »Schon gut.«

Sie standen da und beobachteten, wie das goldene Ei kam und sich sanft auf den Sand senkte.

Es lag eine Zeitlang da und rührte sich nicht. Sie beobachten es weiter, und jetzt hatte Chane das Gefühl, als würde es *sie* beobachten. Jeder, der es wirklich wollte, konnte sie sehen, obwohl sie sich Mühe gaben, nicht aufzufallen. Es war möglicherweise gefährlich, und sie hätten lieber tiefer hineingehen sollen. Aber das war auch kein Schutz, da sie die Luken nicht schließen konnten, und so würden sie wenigstens mitbekommen, was passierte. Die Krii wußten sowieso sehr genau, daß sie hier waren.

Als die Krii schließlich auftauchten, schienen sie sich nicht für sie zu interessieren — so oder so.

Es waren sechs von ihnen. Sie erschienen einer nach dem anderen durch eine Schleuse, die sich tief unten in der Seite des Eis geöffnet und eine schmale Landungsbrücke ausgefahren hatte. Die letzten beiden trugen einen langen dünnen Gegenstand von unbestimmbarer Funktion zwischen sich, eingehüllt in dunklen Stoff.

Hochgewachsen und mehr als schlank bewegten sie sich, wobei sich ihre scheinbar gliederlosen Körper graziös wiegten, in einer Reihe dem großen Schiff entgegen. Die Farbe ihrer Haut war von nicht ganz so dunklem Bernstein wie die der Krii, die Chane in Stase eingefroren gesehen hatte. Ihre Gliedmaßen waren extrem geschmeidig, die Hände mit den langen Fingern sahen beinahe aus wie sich im Wind wiegende Palmwedel.

Sie gehen so selbstbewußt, dachte er, weil sie sich nicht vor uns fürchten. Und wenn sie sich nicht fürchten, liegt das sicherlich daran, daß sie wissen, daß wir sie nicht verletzen können. Nicht etwa nicht verletzen wollen — nicht verletzen können.

Sie sahen nicht einmal zu dem Söldnerschiff herüber. Sie bewegten ihre schmalen, hochgewölbten Köpfe niemals nach rechts oder links, um sich irgend etwas anzusehen. Sie marschierten schweigend zum Eingang, stiegen die Stufen hinauf und verschwanden im Inneren des gewaltigen Wracks.

Sie blieben für eine lange Zeit verschwunden. Die Männer wurden es leid, in der Schleuse zu stehen; sie tasteten sich in der Dunkelheit zur Brücke hinauf, wo sie bequemer weiter beobachten konnten.

Bollard sagte: »Bis jetzt sind sie friedlich.«

»Ja«, sagte Dilullo. »Bis jetzt.«

Das goldene Ei lag im Sand und wartete, seine langen Reihen von Öffnungen schimmerten trübe im düsteren Licht. Es hatte keine normale Antriebseinheit, bemerkte Chane, und es gab keine äußerlichen Hinweise darauf, welche Art von Energie es nutzte. Was immer es war, es funktionierte innerhalb des Kraftfeldes, in dem sonst nichts funktionierte. Natürlich. Eine Verteidigungseinrichtung war nicht besonders gut, wenn sie dich zusammen mit deinen Feinden lahmlegte.

Er nahm Bewegung im Eingang des großen Wracks wahr und sagte: »Sie kommen zurück.«

Die sechs kamen heraus, und hinter ihnen die hundert.

Im Gänsemarsch, eine lange, schwankende Linie bildend, marschierten sie aus dem dunklen Grab, in dem sie gewartet hatten seit . . . wie lange? Ihre Gewänder flatternd, die großen Augen geweitet in der Düsternis, marschierten sie durch den aufgewirbelten Sand und in das goldene Beiboot des Rettungsschiffes, das sie nach Hause bringen würde. Chane betrachtete ihre Gesichter.

»Sie sind nicht menschlich, das steht fest«, sagte er. »Nicht einer von ihnen lacht oder schreit oder tanzt oder umarmt jemanden. Sie sehen alle so aus, wie sie aussahen, als sie . . . ich hätte beinahe gesagt ›tot waren‹, aber ihr wißt, was ich meine.«

»Keine unkontrollierten Emotionen«, sagte Dilullo. »Und doch hat das andere Schiff eine lange Reise gemacht, um sie zu suchen. Das spricht für Emotionen irgendeiner Art.«

»Vielleicht waren sie mehr daran interessiert, die Erkenntnisse, die diese Krii gewonnen hatten, zu retten, als die Krii selbst«, sagte Chane.

»Mich interessiert keines von beiden«, sagte Bollard. »Ich will nur wissen, was sie mit uns vorhaben.«

Sie beobachteten, und Chane wußte, daß aus der offenen Schleuse und der Ladeluke die anderen Söldner wie er beobachteten, warteten und den bitteren Geschmack der Furcht schmeckten.

Es lag nicht daran, daß du dir viel daraus gemacht hättest, zu sterben, obwohl du es nicht darauf angelegt hast. Es lag an der Art, wie du sterben würdest, dachte Chane. Wenn sich dieses lange honighäutige Gemüse entscheidet, dich auszuschalten, würde es kalt und effizient geschehen, und so andersartig, daß du nicht einmal wüßtest, was dich getroffen hat. Wie Ungeziefer, das in seinem Bau vergast wird.

Der letzte der hundert betrat das Beiboot, und seine Schleuse schloß sich hinter ihnen. Das goldene Ei summte und stieg in den wirbelnden Sand und die Wolken und war weg. »Lassen sie uns jetzt vielleicht gehen?« fragte Bollard.

»Das glaube ich nicht«, entgegnete Dilullo. »Jetzt noch nicht.«

Chane ließ einen kurzen varnischen Fluch vom Stapel, der erste Lapsus dieser Art, der ihm unterlief, aber Bollard bemerkte es nicht.

Er war zu sehr damit beschäftigt, die Flotte goldener Eier anzustarren, die erschienen war, die eines nach dem anderen herunterfielen, bis neun davon ordentlich im Sand aufgereiht waren.

Dilullo sagte: »Wir können es uns genausogut gemütlich machen. Ich glaube, uns steht eine lange Wartezeit bevor.«

Und sie war lang. Beinahe die längste Wartezeit, an die Chane sich erinnern konnte, abgesessen in diesem kleinen, metallenen Gefängnis, das sich Schiff nannte. Sie aßen kalte Rationen, lebten im Dunkel und sahen sehnsüchtig auf die offenen Schleusen, die sich über sie lustig machten. Gegen Ende hatte Dilullo all seine Überzeugungskraft, einschließlich seiner Fäuste, aufbieten müssen, die Männer im Schiff zu halten.

Vermutlich hatten die Offiziere der vholanischen Kreuzer die gleichen Probleme, und vermutlich waren sie erfolgreich, denn bei den Vholanern blieb es still. Ein- oder zweimal dachte Chane, Gestalten in den Sandwirbeln unterhalb der Felswand zu sehen. Es hätte Labdibdin mit einigen seiner Techniker sein können, und wahrscheinlich waren sie es. Wenn sie es waren, erledigten sie ihre Beobachtungen aus diskreter Entfernung.

Eines war beruhigend. Die Vholaner konnten die Wartezeit nicht nutzen, ihre Antriebsaggregate zu reparieren. Es sei denn, sie würden ihnen mit kleinen Hämmern und bloßen Händen zuleibe rücken.

Chane ging auf und ab, streunte herum und saß schließlich trübselig da, mürrisch wie ein Tiger im Käfig.

Draußen arbeiteten die Krii gleichförmig, weder langsam

noch schnell, hielten einen Arbeitsrhythmus ein, der beim bloßen Zuschauen an den Nerven kratzte. Sie kamen nicht einmal in die Nähe des Söldnerschiffes. Soweit es sie betraf, schien es, als existiere das Söldnerschiff nicht.

»Nicht sehr schmeichelhaft«, sagte Dilullo, »aber belassen wir es dabei. Vielleicht liegt Labdibdin absolut richtig, und sie nehmen kein Leben. Das würde sie nicht daran hindern, einige hocheffektive Methoden zu haben, Leute auszuschalten, genauso wie sie Maschinen zum Stillstand bringen, und ihre Vorstellungen von der Ernsthaftigkeit des sich ergebenden Schadens für den Organismus könnte nicht mit den unseren übereinstimmen. Gott weiß, was für einen Metabolismus sie haben, oder was für ein Nervensystem. Du kannst einen Menschen ziemlich gründlich fertigmachen und ihn trotzdem leben lassen. Sie könnten möglicherweise einfach nicht verstehen, was sie anrichten.«

Chane stimmte ihm zu. Trotzdem war es hart, Tag für Tag den beunruhigend fremdartigen und hochgewachsenen hochmütigen Kreaturen zusehen zu müssen und den Wunsch zu unterdrücken, hinauszurennen und ein paar von ihnen umzubringen, nur um etwas Abwechslung in die Monotonie zu bringen.

Die Beiboote kamen und gingen, spuckten vielfältige Ausrüstungsteile aus, brachten die Krii-Techniker hinunter und wieder zurück. Ein ansehnlicher Teil der Arbeit wurde innerhalb des Wracks erledigt, aber sie hatten natürlich keine Möglichkeit, herauszufinden, was es war. Draußen errichteten die Krii eine Anlage aus transparenten Stangen, die nach und nach die Form eines Tunnels annahmen. Sie bauten dies ausgehend vom Eingang des Schiffes bis in eine Entfernung von etwa zwölf Metern. Dort errichteten sie eine Art Schleusenkammer. Am Schiffsende schloß die tunnelähnliche Konstruktion über einen Kragen die Öffnung; nur einen schmalen Spalt ließen sie offen, durch den die Techniker kommen und gehen konnten.

Eines Tages drang plötzlich Licht durch die Risse in der Schiffshülle.

»Sie haben die Energieversorgung repariert«, sagte Dilullo. »Oder ein Not-Aggregat als Ersatz dafür installiert.«

»Wieso arbeiten deren Generatoren und unsere nicht?« verlangte Chane zu wissen. »Sie sind auch in diesem abschaltenden Feld.«

»Sie haben das Feld entwickelt und dürften wohl wissen, wie sie ihre eigenen Geräte dagegen abschirmen können. Oder ihr Energiesystem könnte sich vollkommen von unserem unterscheiden... ich meine, sie haben ja nicht einmal dieselbe Periodische Tabelle der Elemente.«

Chane sagte: »Egal, wie sie geschafft haben, sie haben es geschafft. Und wenn sie die Energieversorgung wiederhergestellt haben, werden sich all diese Behälter öffnen...« All diese Behälter mit Edelsteinen und wertvollen Metallen. Die Ausbeute der Galaxis, so wie er es sah. Es ließ ihm das Wasser im Mund zusammenlaufen. Nicht einmal Sternenwölfe hatten jemals solch schwindelnde Höhen erreicht.

Ein goldenes Ei wurde an die Schleusenkammer am Ende des Tunnels angeschlossen.

Chane preßte sich gegen das Sichtfenster, Dilullo und Bollard neben sich. Niemand sagte ein Wort. Sie warteten, fühlten, daß etwas Entscheidendes passieren würde.

Die tunnelähnliche Struktur aus durchsichtigen Stangen begann zu glühen, in einem schimmernden Strahlen, das seine Umrisse verschwommen und verschoben erscheinen ließ. Das Strahlen wurde stärker, flackerte und wurde dann zu einem gleichmäßigen Pulsieren.

Gegenstände begannen darin zu erscheinen, glitten ebenso sanft wie schnell von dem großen Schiff zum goldenen Ei.

»Irgendeine Art von Transportfeld«, sagte Dilullo. »Es macht das Zeug schwerelos und schiebt es den Tunnel entlang...«

Chane stöhnte gequält auf. »Halt hier keine wissenschaftlichen Vorlesungen ab. Sieh es dir nur an. *Sieh es an!*«

Die Ausbeute der Galaxis zog vorüber, kaum außer Reichweite, strömte gleichmäßig aus den Lagern des Krii-Schiffes in das goldene Ei. In eine Reihe von goldenen Eiern, die in einem endlosen Pendelverkehr luden und aufstiegen und zurückkehrten und den Kreis schlossen.

Die Ausbeute der Galaxis.

»Und sie wollen es noch nicht einmal ausgeben«, sagte Chane. »Sie nehmen all das auf sich, nur um es zu *studieren*.«

»Blasphemie, nach deinen Grundwerten«, sagte Dilullo und grinste Chane an. »Nicht weinen.«

»Worum geht es eigentlich?« fragte Bollard.

»Um nichts. Nur daß bei unserem Freund hier ein frustrierter Fall von langen Fingern zu verzeichnen ist.«

Bollard schüttelte den Kopf. »Zum Teufel mit unserem Freund. Schaut, sie laden all die Proben, die die Expedition gesammelt hat. Wenn sie damit fertig sind, was dann?«

Er erwartete keine Antwort auf diese Frage, und niemand gab ihm eine.

Aber schließlich kam die Antwort.

Die letzten Gegenstände liefen das Feld hinunter, und das Glühen erstarb. Systematisch bauten die Krii ihre Ausrüstung ab und verschwanden in den Wolken. Der gewaltige Klotz wurde wieder dunkel und war jetzt leer, jedes Nutzens und jeder Bedeutung beraubt.

Schließlich und endlich kam einer der Krii auf das Söldnerschiff zu. Es stand einen Moment da, hochgewachsen, wiegte leicht im Wind, seine großen leidenschaftslosen Augen auf sie gerichtet.

Dann ließ er einen seiner langen Arme in einer unmißverständlichen Geste nach oben schnellen, deutete in den Himmel.

Anschließend drehte es sich um und ging zu dem letzten verbliebenen Ei zurück. Die Schleuse schloß sich, und einen Moment später lag der zertrampelte Sand leer da.

Plötzlich brannte das Licht wieder im Söldnerschiff, und die Generatoren begann die Schotten quietschend und rumpelnd zu schließen, als sie wieder zum Leben erwachten.

»Er sagte, wir sollen gehen, und ich glaube, ich weiß auch warum«, sagte Dilullo. Er bellte hastig und drängend ins Interkom: »Sichert die Luken. Im Eiltempo Flugstationen einnehmen. Wir starten!«

Und sie starteten, stiegen wie eine Rakete in einer flachen Flugbahn auf, die sie in einem Winkel von der Felswand wegbrachte, der zu niedrig war, als daß die vholanischen Laser sie hätten erreichen können, bevor sie außer Reichweite waren.

Dilullo brachte das Schiff in einen stationären Orbit und forderte Rutledge auf: »Mach die Kamera fertig. Ich habe eine ziemlich klare Vorstellung davon, was gleich geschehen wird, und ich möchte es aufnehmen.«

Rutledge öffnete den Schacht, in dem die Kamera saß, und schaltete den Monitorschirm ein.

Chane starrte wie die anderen auf den Monitor, der zeigte, was die Kamera aufnahm.

»Zuviel Staub«, sagte Rutledge und machte sich an den Kontrollen zu schaffen. Das Bild klärte sich, als die Kamera mit anderen Augen sah, das lichtreflektierende Bild durch eines ersetzte, das durch Sensorstrahlen zusammengestellt wurde.

Es zeigte das große gestrandete Schiff, das monströs auf der Ebene lag. Es zeigte die Felswand und die beiden vholanischen Kreuzer dahinter. Die Kreuzer wirkten wie kleine Miniaturausgaben, die Kinder an Fäden halten und um ihre Köpfe wirbeln konnten.

Nach einer Weile sah Rutledge Dilullo an, und Dilullo sagte: »Nimm weiter auf. Es sei denn, du wolltest arm nach Hause zurückkehren.«

»Du glaubst, die Krii werden das Schiff zerstören?« fragte Chane.

»Würdest du das nicht? Wenn du wüßtest, daß sich Leute darin rumgetrieben und sich daran zu schaffen gemacht haben, Leute, die deutlich geringere technologische Kenntnisse als du besitzen, dafür aber erheblich kriegerische Wesenszüge... würdest du es liegen lassen, damit sie es studieren können? Die Krii konnten nicht alles ausbauen. Das Antriebssystem, die Generatoren, all das würde hierbleiben, und die Verteidigungseinrichtungen. Mit der Zeit würden die Vholaner vielleicht lernen, wie sie sie in unser Periodisches System der Elemente umsetzen könnten. Nebenbei gesagt, warum sonst sollten uns die Krii aufgefordert haben abzuhauen? Sie würden sich wohl nicht für unseren Kampf mit den Vholanern interessieren, und ob wir entkommen können oder nicht. Ich glaube, sie wollten verhindern, daß wir durch irgendeine ihrer Aktionen getötet werden.«

Das Bild auf dem Bildschirm veränderte sich nicht, die mächtige dunkle Silhouette des gestrandeten Schiffes hob sich ziemlich deutlich gegen den Sand ab.

Plötzlich sprang ein kleiner Funke herab und berührte das Wrack. Er breitete sich mit unglaublicher Geschwindigkeit zu einer blendenden Flamme aus, die den gesamten metallenen Körper überzog, vom Bug bis zum Heck, und ihn auffraß, ihn verschlang, ihn zu Asche zerlegte und dann in Atome, bis nichts mehr übrig war außer einer kilometerlangen Narbe im Sand. Und auch die würde bald verschwunden sein.

Die vholanischen Kreuzer, geschützt durch die Felswand, blieben unbehelligt.

Dilullo sagte: »Schalt die Kamera ab. Ich denke, das sollte beweisen, daß wir unseren Auftrag erfüllt haben.«

»Wir?« sagte Rutledge.

»Die Kharaler haben uns angeheuert, herauszufinden, wodurch sie aus dem Nebel bedroht werden, und es zu zerstören. Wir haben es gefunden, und es wurde zerstört. Punkt.« Er sah hinunter auf die vholanischen Kreuzer. »Sie werden sich jetzt mit ihren Reparaturen beeilen. Ich sehe keinen Grund, warum wir hier noch länger herumhängen sollen.«

Es gab keinen Mann an Bord, der ihm da widersprechen wollte.

Sie stiegen auf, verließen die Atmosphäre und den Schatten, der für so viele Tage auf ihnen gelastet hatte, während das gewaltige Schiff zwischen ihnen und der Sonne schwebte.

Sei es durch Zufall oder mit Absicht, jedenfalls wählte Dilullo einen Kurs, der sie nicht nahe, aber nah genug herabbrachte, um zu sehen...

Nah genug, um zu sehen, wie eine gewaltige dunkle Silhouette aus dem Orbit ausbrach und sich auf den langen Heimweg machte — über den schwarzen und leeren Ozean, der die Küsten der Inseluniversen umspülte.

»Keine unkontrollierten Emotionen«, sagte Dilullo leise, »aber, bei Gott, sie haben etwas.«

Sogar Chane mußte ihm zustimmen.

Die Söldner hatten ziemliche ausufernde Vorstellungen von der Feier, die sie jetzt starten wollten, und Dilullo hinderte sie nicht daran, es zu versuchen. Wie er es sich gedacht hatte, waren sie jedoch viel zu erschöpft, und diejenigen, die keinen Dienst hatten, waren völlig damit zufrieden, sich in ihre Kojen zu werfen und sich dem ersten richtigen Schlaf in die Arme zu werfen, seit . . . der schon länger zurücklag, als sie sich erinnern konnten.

Chane, nicht ganz so erschöpft, blieb auf einem weiteren Drink mit Dilullo im Wachraum. Sie waren jetzt völlig unter sich, und Dilullo sagte: »Wenn wir nach Kharal kommen, bleibst du im Schiff und machst dich unsichtbar.«

Chane grinste. »Dazu mußt du mich gar nicht überreden. Was meinst du, werden sie die Mondsteine herausrücken?«

Dilullo nickte. »Sie werden zahlen. Erstens, unangenehm wie sie manchmal sind, stehen sie doch zu ihrem Wort. Zweitens wird sie der Film von diesem Monster-Schiff so beeindrucken, daß sie aus Erleichterung darüber, daß es zerstört wurde, mit Freude zahlen werden.«

»Du hast nicht vor, ihnen zu sagen, daß wir es eigentlich nicht waren, die das Schiff zerstört haben?« fragte Chane.

»Schau«, sagte Dilullo. »Ich bin innerhalb vernünftiger Grenzen fair und ehrlich, aber ich bin nicht verrückt. Sie haben uns für einen Job angeheuert, der ist erledigt, und das sind wir auch, nachdem wir ziemlich dafür gestrampelt haben. Das reicht.« Er fügte hinzu: »Was wirst du mit deinem Anteil anfangen, wenn wir die Mondsteine verkaufen?«

Chane zuckte die Schulter. »Darüber habe ich noch nicht nachgedacht. Ich bin gewohnt, mir Dinge zu nehmen, nicht, sie zu kaufen.«

»Das ist eine kleine Eigenart, über die du hinwegkommen mußt, wenn du ein Söldner bleiben willst. Willst du?«

Chane schwieg, bevor er antwortete: »Ich will, fürs erste jedenfalls. Wie du schon gesagt hast, ich wüßte nicht, wo ich sonst hingehen sollte ... Ich glaube nicht, daß ihr so gut seid wie die Varnier, aber ihr seid ganz gut.«

Dilullo sagte trocken: »Ich glaube nicht, daß du jemals der beste Söldner aller Zeiten wirst, aber du hast gute Anlagen.«

»Wohin geht es von Kharal?« fragte Chane. »Zur Erde?«

Dilullo nickte.

»Weißt du«, sagte Chane, »ich habe ein gewisses Interesse an der Erde.«

Dilullo schüttelte den Kopf und sagte düster: »Ich bin nicht allzu glücklich, dich dorthin mitzunehmen. Wenn ich an all die Leute da denke, die dich sehen und nicht wissen, daß du ein Tiger bist, der einen Erdenmenschen spielt, frage ich mich, worauf ich mich da einlasse. Aber ich denke, wir können dir die Klauen stutzen.«

Chane grinste: »Wir werden sehen.«

ENDE

Band 23 164

John E. Stith

**Der Tag,
an dem Manhattan
geraubt wurde**

Deutsche
Erstveröffentlichung

Das Leben der Menschen in Manhattan ändert sich mit einem Schlag, als die ganze Stadt von Außerirdischen geraubt wird. Von einer Schutzglocke umgeben, finden sich die Erdenbewohner plötzlich in einer Art Zoo wieder: Sie sind von unzähligen ›Käfigen‹ umgeben, von denen jeder einzelne eine fremde Rasse und Kultur beherbergt. Sind sie Teil eines kosmischen Experiments? Oder Teil einer Vorratskammer? Die Menschen müssen aufbrechen und sich mit den anderen Entführten zusammentun, um das verblüffende Rätsel zu lösen . . .

Band 24 201

Robert Rankin

**Das Buch
der allerletzten
Wahrheiten**

**Deutsche
Erstveröffentlichung**

Er wandelte als Nostradamus über die Erde, als Cagliostro und Rodrigo
Borgia. Er konnte eine Sardinenbüchse mit den Zähnen öffnen und alle
Werke von Gilbert & Sulivan summen. Sein Name ist Hugo Rune, und er hat
das BUCH DER ALLERLETZTEN WAHRHEITEN verfaßt. Brisanter Stoff, der
die Welt verändern könnte – würde er veröffentlicht. Und genau das ist das
Ziel von Cornelius Murphy und seinem zwergenhaften Freund Tuppe. Ihre
hehre Absicht dabei: die Rettung der Menschheit! – Was auch sonst?
Eine köstliche Parodie, ein wahrhaft humoristisches Buch voller haarsträu-
bender Ideen.

Wirklich nicht nur für Science-Fiction-Leser, sondern für alle, die die Zusam-
menhänge kennenlernen wollen zwischen dem Mysterium der Zeit, dem
Papst und einer Tasse Tee (wahlweise Kaffee), zwischen Shakespeare und
Stephen King, zwischen Kugelschreibern mit Werbeaufdruck und der hohen
Selbstmordrate, und für alle diejenigen, die wissen wollen, warum im Herbst
so viele tote Igel auf den Straßen liegen!

**Sie erhalten diesen Band
im Buchhandel, bei Ihrem
Zeitschriftenhändler sowie
im Bahnhofsbuchhandel.**